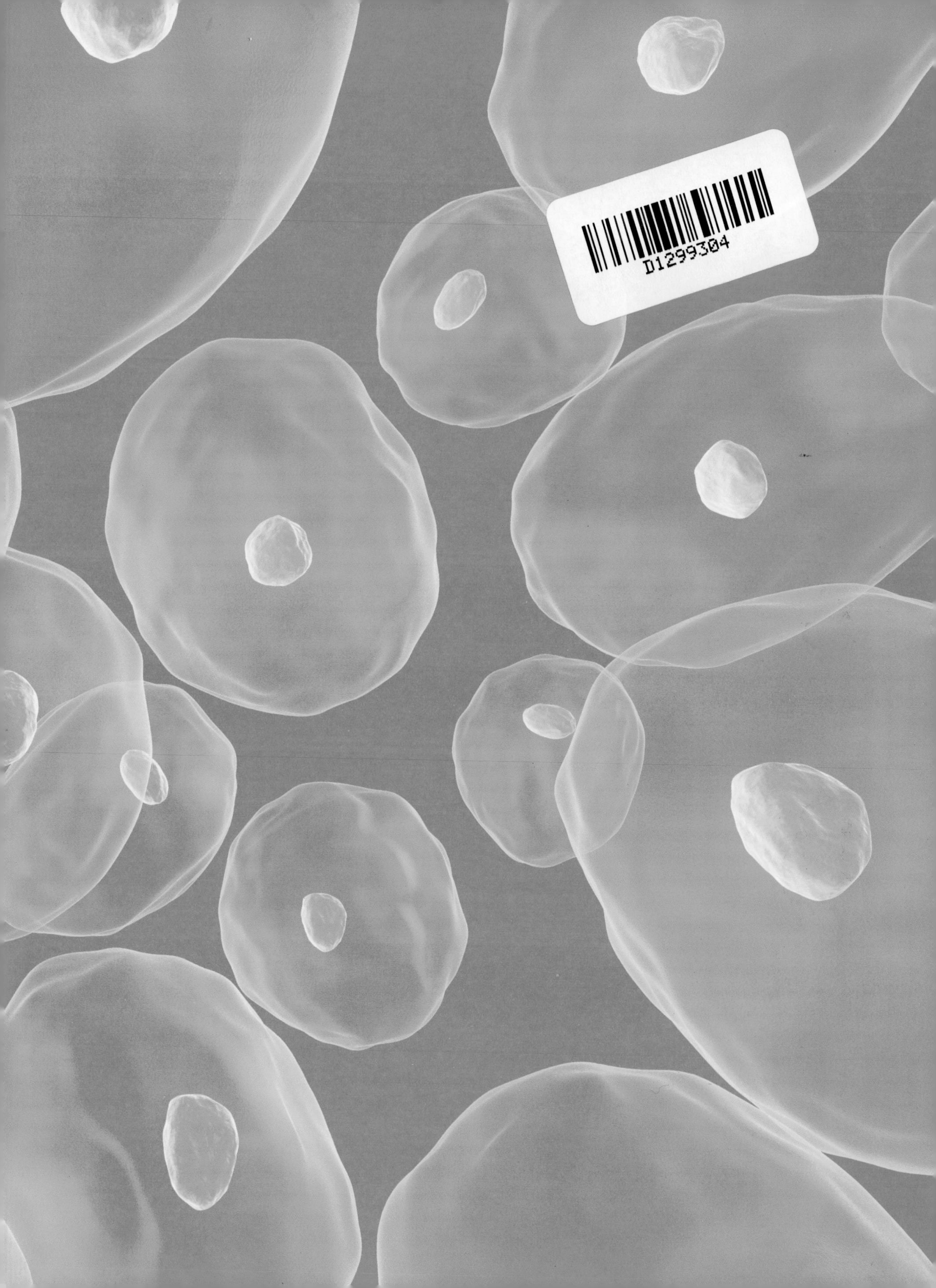
D1299304

# Et si on créait un corps humain?

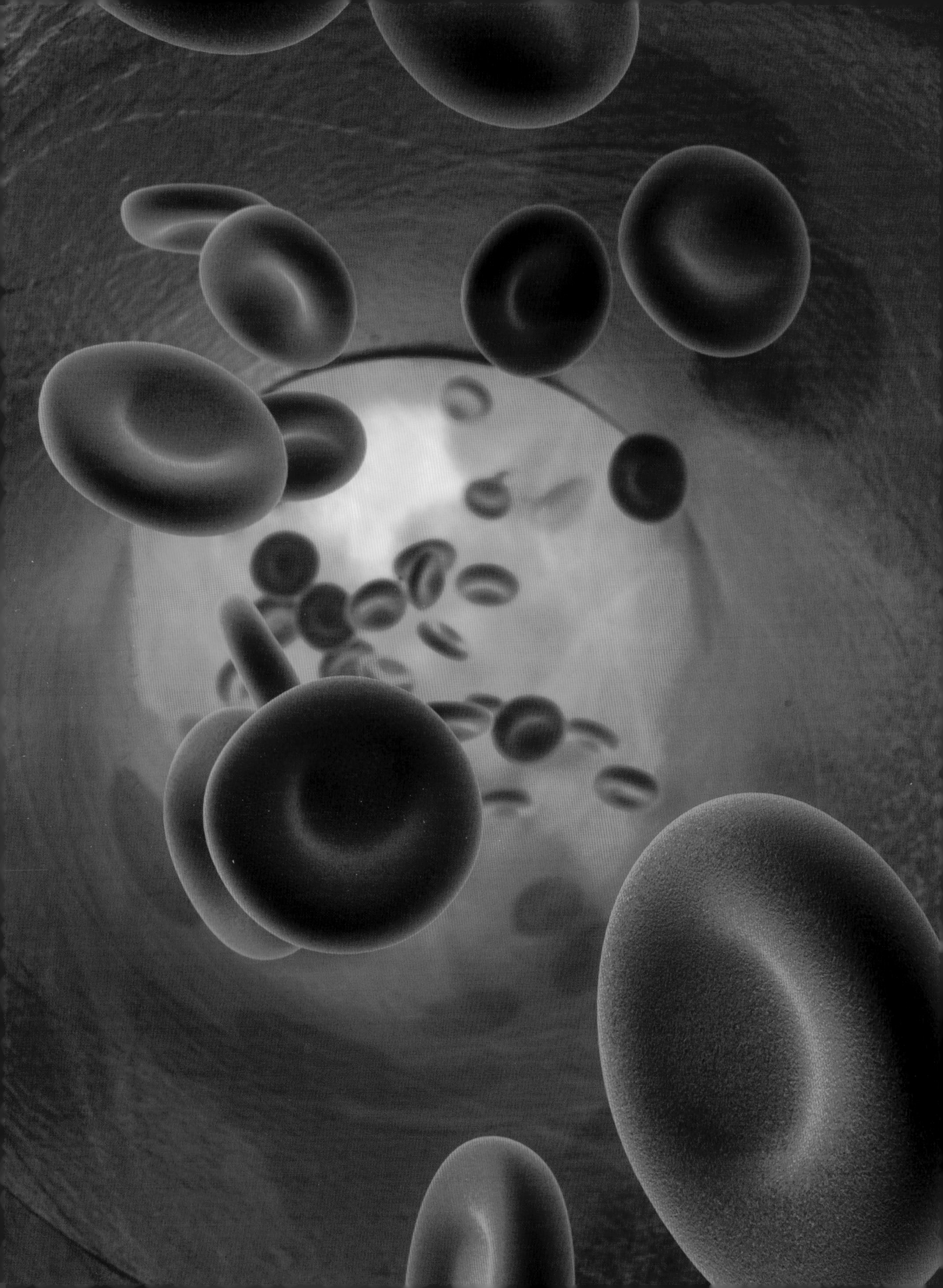

# Et si on créait un corps humain?

Écrit par Scott Forbes    Idée d'Ariana Klepac

petit homme

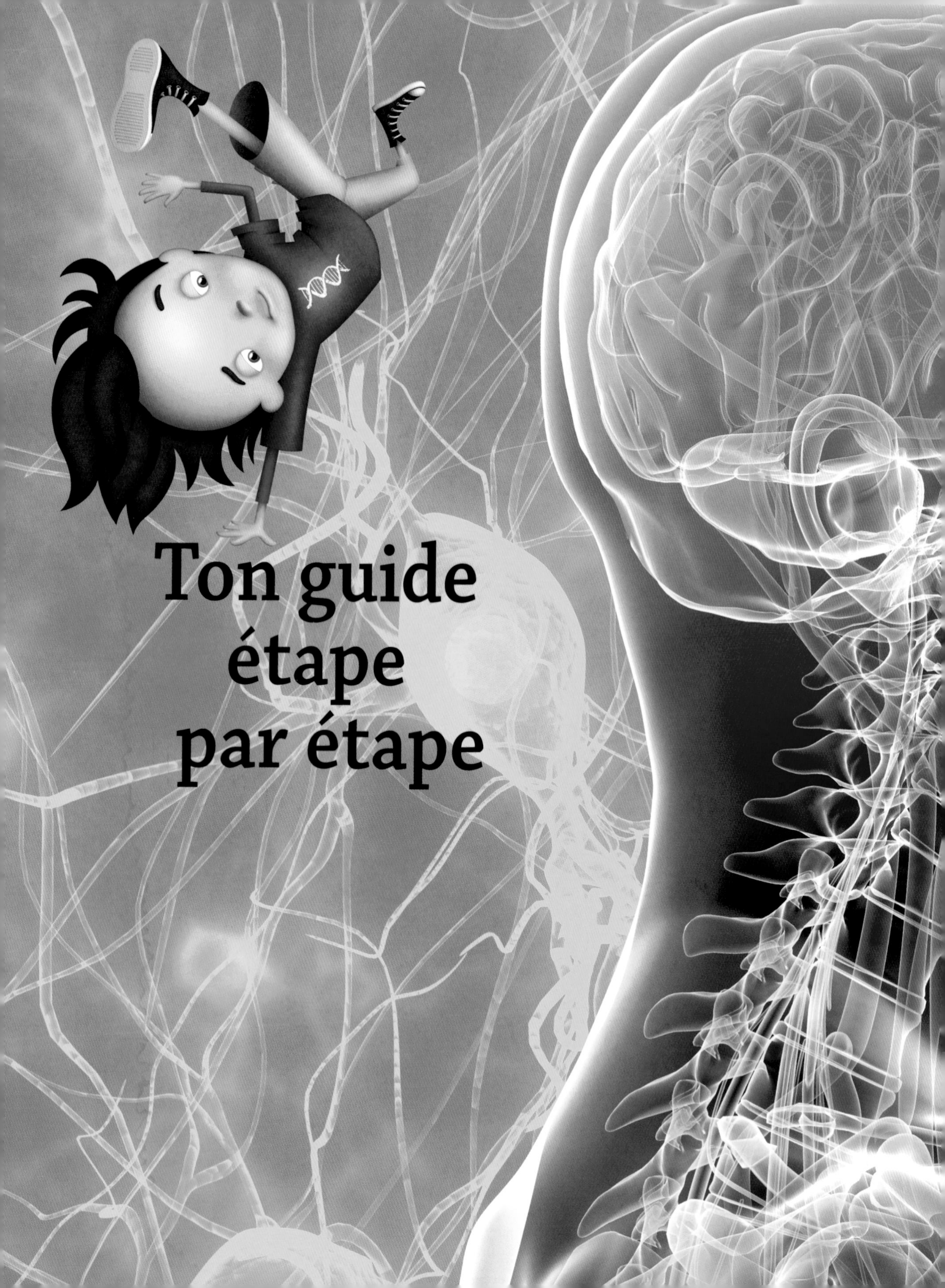
Ton guide
étape
par étape

# Alors, tu veux créer un être humain?

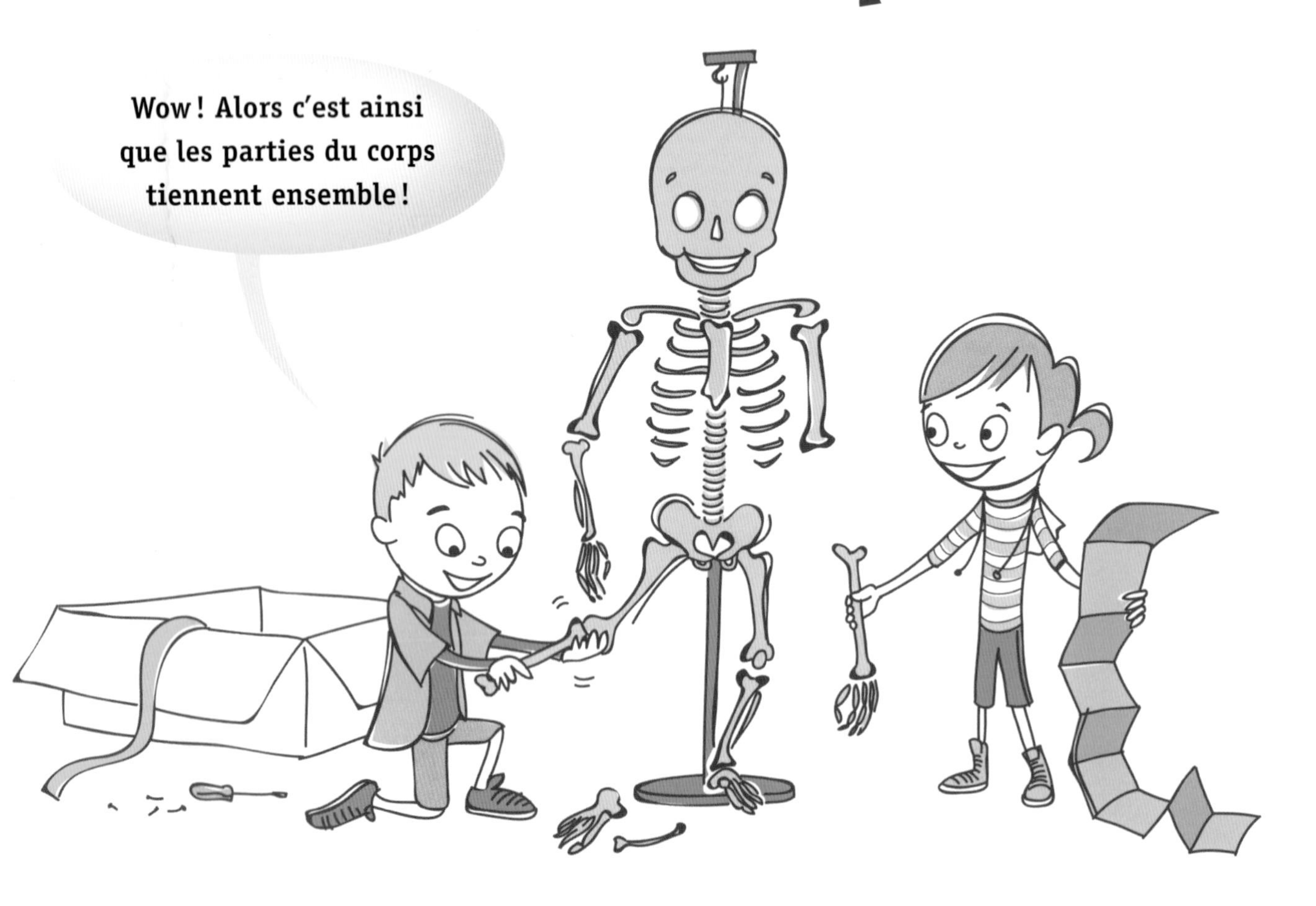

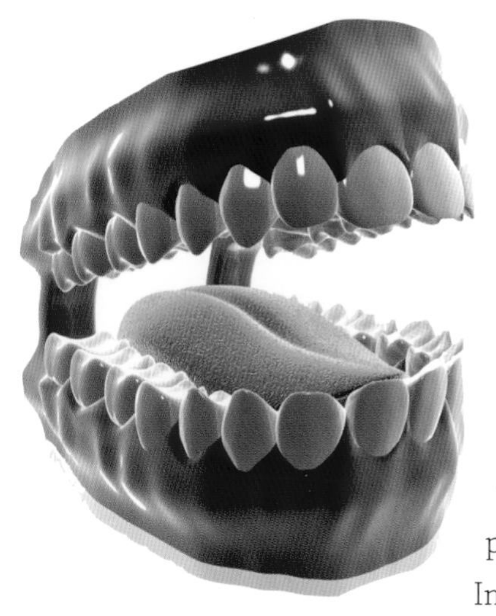

**D'ACCORD ! Quelle est la meilleure façon de comprendre une chose complexe ou technique ? La démonter ou la fabriquer toi-même.** Supposons qu'il soit possible de créer un être humain de toutes pièces. Imagine que tu puisses commander toutes les pièces dont tu as besoin et les faire livrer chez toi. Et que tu puisses les emboîter les unes dans les autres pour en faire un être humain intelligent comme toi, qui vit et respire. Ce serait amusant, n'est-ce pas ? Ce serait compliqué et, évidemment, plutôt fastidieux – ainsi qu'un peu salissant, sans doute. Par contre, tu apprendrais des tas de choses sur toi-même et sur les autres êtres humains.

Ce livre va te montrer ce qu'il pourrait se passer si c'était possible. Il contient tous les conseils, l'information et les instructions dont tu auras besoin pour fabriquer un corps humain et il te guidera à toutes les étapes de la construction. En assemblant un être humain, tu découvriras comment chaque partie de ton corps fonctionne – comment tu penses, tu vois, tu goûtes et tu touches, comment tu respires, tu manges, tu souris et tu chantes.

Et tu découvriras des choses étonnantes sur l'être humain – une machine robuste et mystérieuse. C'est la forme de vie connue la plus intelligente, de tout temps et dans tout l'univers. Oui, c'est toi ! Alors, pour découvrir à quel point tu es merveilleux, poursuis ta lecture !

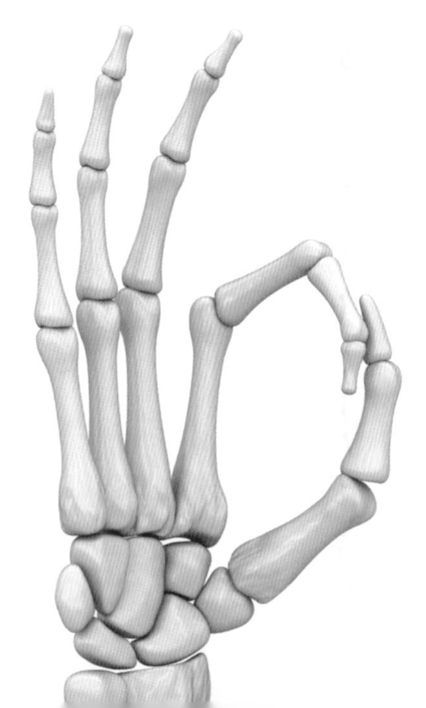

# TROUSSE DE CRÉATION DU CORPS

**VÉRIFICATION** Avant de commencer à créer ton humain, assure-toi que tu as toutes les pièces dont tu as besoin. Il n'y a rien de plus frustrant que d'arriver à la fin d'un casse-tête et de se rendre compte qu'il manque une pièce.

**REGARDE-TOI** Alors, de quoi as-tu besoin pour fabriquer un corps ? Commence par te regarder toi-même. Il y a cette belle enveloppe de peau, évidemment, et pas mal de poils. Tu as une tête, des bras et des jambes, des doigts et des orteils, des yeux, des oreilles, un nez et une bouche. Sous la peau, il y a les muscles que tu utilises pour courir, sauter, danser, faire du skateboard, soulever de gros poids et sauter dans les airs (enfin, peut-être pas toutes ces choses). Il y a un peu de gras ici et là (tu as encore

belle apparence) et un plus grand nombre de parties noueuses et dures qui font saillie des muscles – les os, bien entendu.

Plus profondément, il y a les organes : les poumons qui aspirent l'air, le cœur qui pompe dans tout le corps le sang et l'oxygène essentiels à la vie ; l'estomac qui transforme la nourriture que tu manges ; et enfin le cerveau, que tu es en train d'utiliser en ce moment même pour lire et comprendre ces mots. Dis donc, tu es tout un numéro !

## DES DÉBUTS MODESTES

Aussi bizarre que cela puisse paraître, tous ces petits morceaux – toi inclus – sont d'abord apparus sous la forme d'une cellule unique ; un colis microscopique de produits chimiques plus petit que le point sur ce i. Cette cellule avait la capacité de se diviser en deux, un processus appelé mitose. Ces deux cellules se sont divisées à leur tour et les quatre cellules ainsi créées se sont divisées aussi, et ainsi de suite jusqu'à ce qu'il y en ait des centaines, puis des milliers et enfin des millions. Tout cela a commencé bien avant ta naissance et cela ne s'est jamais arrêté depuis. Tu as grandi et grandi et ton corps compte maintenant au moins 75 *billions* de cellules – soit 75 millions de millions ou 75 000 000 000 000. Génial !

## L'USINE DE CELLULES

Cellule

Chaque cellule contient diverses substances, dont de l'oxygène, du carbone, de l'hydrogène, de l'azote et du calcium, qui proviennent des aliments que tu manges. Les cellules transforment ces substances en composés chimiques dont le corps a besoin pour fonctionner. Le centre de presque toutes les cellules est occupé par le noyau, poste de contrôle des opérations. Il est entouré d'une masse gélatineuse appelée le cytoplasme, dans lequel on trouve des organelles qui ont chacune un travail bien précis à faire – rassembler les éléments nutritifs, les transformer en énergie, évacuer les déchets. Comme tu le verras, c'est un peu comme ton corps en miniature !

**Tous les jours, tu produis 300 milliards de nouvelles cellules !**

## FORMER UNE ÉQUIPE

En se développant, les cellules se différencient. Les cellules du même type se réunissent en très très grand nombre pour composer ce qu'on appelle les tissus, qui se combinent à leur tour pour former les muscles, les organes et les autres parties du corps.

Pour fabriquer un être humain parfaitement fonctionnel, il faut environ 200 sortes de cellules, incluant les cellules du sang, des muscles, des nerfs et de la peau. Si tu regardais ces cellules au microscope, tu verrais qu'elles ont toutes des apparences différentes. Les cellules nerveuses, par exemple, ont des sortes de tentacules qui les relient les unes aux autres. Les cellules musculaires sont longues et élastiques. Les cellules de gras sont rondes et, comment dire, grasses !

Cellules nerveuses

## RENOUVELLEMENT DES CELLULES

Ces différents types de cellules ont des espérances de vie très variables. Les cellules de la peau, par exemple, fabriquent de nouvelles cellules chaque jour. Et c'est tant mieux, sinon, avec toutes les attaques qu'elle subit, la peau serait bientôt pleine de trous. En revanche, la plupart de tes cellules du cerveau restent vivantes aussi longtemps que toi – heureusement, car cela t'aide à te rappeler qui tu es, ce que tu as fait et ce que tu prévois faire après avoir lu ceci.

Cellule de la peau

### CARTE D'IDENTITÉ HUMAINE

Chacun a un ADN légèrement différent. Les scientifiques peuvent maintenant relier les plus petites traces d'ADN – comme les pellicules et les gouttes de salive – à leur propriétaire.

Brin d'ADN

## INSTRUCTIONS COMPRISES

Tes cellules contiennent les instructions permettant de construire ton corps. Connues sous le nom de gènes, ces instructions sont entreposées dans le noyau cellulaire sous forme d'acide désoxyribonucléique. Pas facile à prononcer ? Dis simplement ADN. L'ADN est une longue molécule qui s'enroule sur elle-même en un paquet appelé chromosome – un guide d'instructions microscopique. Chaque cellule humaine a 46 chromosomes, dont 23 sont des copies de chromosomes venant de ta mère et 23 de ton père. Les autres êtres vivants ont des nombres de chromosomes différents, mais en avoir plus ne rend pas nécessairement plus brillant ! Ton chat en a peut-être seulement 38, mais un chien en a 78 et un poisson rouge 94. Impressionnant, non ?

## LE FAIRE PAR TOI-MÊME ?

Les chromosomes fournissent des instructions pour construire toutes les parties d'un être humain, de la forme de son corps à la couleur de ses cheveux. Or, il y a en tout environ 23 000 instructions. Si tu voulais les imprimer, elles couvriraient 3 millions de pages, qui rempliraient toute ta maison. Et si tu voulais les lire, il te faudrait presque le restant de tes jours. Heureusement que tu as ce guide d'instructions !

Chromosome

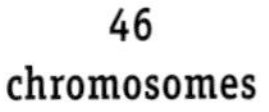
46 chromosomes

78 chromosomes

94 chromosomes

étape 2

# Créer un cadre

**UN PAQUET D'OS** Comme toute structure de bonne taille, un corps humain a besoin d'un cadre très fort. Le squelette est donc la première chose à construire. Prends l'un des os longs. Il est résistant et dur, pas vrai ? Mais peut-être pas aussi lourd que tu le pensais ? C'est parce qu'il n'est pas plein. La partie extérieure épaisse, appelée os compact, est dure – c'est la substance la plus dure du corps après l'émail des dents. Mais à l'intérieur, l'os a la forme d'une structure en nid d'abeilles ou alvéoles, appelée os spongieux, dont le centre est occupé par une étroite cavité.

On est porté à croire que les os sont sans vie, mais les trous d'un os en santé

Cellules sanguines

sont remplis de vaisseaux sanguins, et sa cavité contient une substance molle et gélatineuse appelée moelle osseuse. C'est cette moelle qui fabrique les cellules du sang – à un rythme de plus de 2 millions à la seconde.

## FOURNIR UNE STRUCTURE D'APPUI

Commence en assemblant le soutien central du corps, la colonne vertébrale. Elle est composée de 26 os de forme étrange, appelés vertèbres, qui sont empilés les uns sur les autres pour former une longue colonne courbe. Cet assemblage peut sembler légèrement instable, mais il est assez fort pour soutenir ta grosse tête. Il est aussi extrêmement souple, ce qui te permet de te pencher et de te tourner dans toutes les directions. Et de faire des numéros de danse super cools.

## LA QUEUE ET LE SOMMET

Commence par la queue. Quoi ! Tu ne savais pas que tu as une queue ? Eh oui ! C'est le coccyx, un tout petit os situé à la base de ta colonne vertébrale. C'est tout ce qu'il reste d'une queue plus longue que tes ancêtres humains possédaient il y a des millions d'années. Le coccyx est à la base du sacrum, un gros os triangulaire. Au-dessus du sacrum, tu devras empiler les quatre vertèbres les plus larges, les vertèbres lombaires, qui supportent la majeure partie de ton poids. Au-dessus, attache les 12 vertèbres suivantes, les vertèbres thoraciques, et joins-y les côtes. Il y a 12 paires de côtes, incurvées de manière à former la cage thoracique qui protège tes organes vitaux. Veille à l'installer à l'avant ! Au-dessus des côtes thoraciques, place les 7 plus petites vertèbres, appelées vertèbres cervicales. Ces dernières permettent au cou de bouger librement. Tu as bien compris ? Alors, fléchis tes vertèbres supérieures, et fais oui de la tête.

Colonne vertébrale

Coccyx

**Des disques d'un matériau spongieux appelé cartilage séparent les vertèbres et les protègent des chocs quand tu cours et quand tu sautes.**

## DANSE LE HULA HOOP !

Deux gros os plats, les hanches, situés de part et d'autre du sacrum, forment avec ce dernier l'os du bassin. Le bassin transfère le poids du haut du corps, de la colonne vertébrale vers les pieds. Cherche maintenant les deux os les plus longs de ta trousse. Ce sont les os de la cuisse ou fémurs. La boule à l'extrémité supérieure s'emboîte dans un creux situé

**Bassin**

## POINTS DE RENCONTRE

Il y a environ 400 articulations dans ton corps – ce sont les endroits où les os sont joints. Certaines sont à peine mobiles, mais d'autres sont extrêmement souples. Les articulations pivot, comme celle de ton cou, permettent la rotation des os. Les articulations charnières, comme celle du genou, permettent le mouvement dans un seul sens. Les articulations sphériques, comme celles des hanches, permettent le plus grand nombre de mouvements différents. La plupart des articulations sont renforcées de bandes de tissus élastiques appelées les ligaments.

sur la face inférieure de la hanche. C'est grâce à cette articulation dite sphérique que la cuisse peut bouger dans presque toutes les directions. Si tes muscles sont suffisamment souples, tu pourras même faire un grand écart ! Allez, essaie !

## UN PEU DE STABILITÉ

Les jambes sont composées de deux sections principales : le fémur en haut et une paire de longs os, le tibia et le péroné, en bas. Ces os sont joints par la plus grosse articulation de ton corps, le genou, qui est protégé à l'avant par un petit os supplémentaire, la rotule ou patella. Comme tu l'as peut-être constaté, l'articulation du genou ne plie que dans une seule direction et se bloque lorsqu'elle est tendue. Si le genou bougeait dans la direction opposée, tu serais chancelant et tu utiliserais beaucoup plus d'énergie juste pour tenir debout !

## DES JEUX DE PIED

C'est assez facile jusqu'à maintenant, pas vrai ? Eh bien ! le travail ne fait que commencer, parce que chaque pied contient pas moins de 26 os !

## UNE BASE SOLIDE

On peut se demander s'il faut absolument qu'un pied soit aussi compliqué. Eh bien, tous ces petits os nous aident à faire de minuscules mouvements qui nous gardent en équilibre. C'est pourquoi il faut se donner la peine de les assembler correctement. Quand tu auras fini, tu auras peut-être envie de te reposer.

**Tes mains et tes pieds contiennent plus de la moitié de tous tes os.**

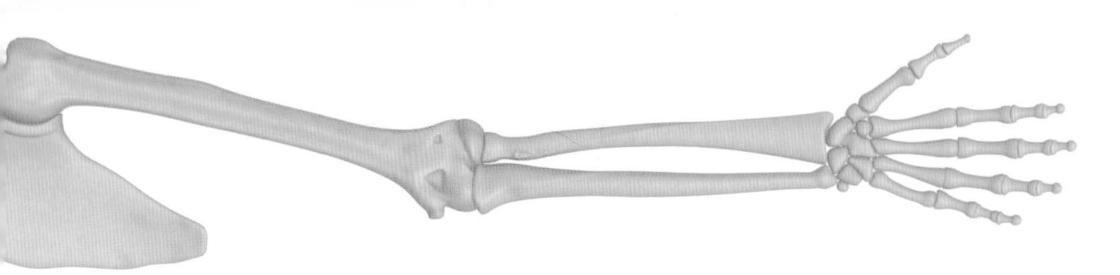

## BRAS DESSUS, BRAS DESSOUS

Maintenant que tu as construit les jambes, les bras ne devraient pas poser de problème. Après tout, les deux paires de membres ont beaucoup de points en commun. Il y a un os plat et large au sommet, l'omoplate (qui est jointe à la cage thoracique par les clavicules), et une autre paire d'articulations sphériques qui relient les bras aux omoplates. Les bras aussi ont un os supérieur très long, l'humérus, et un os inférieur double, composé du radius et du cubitus. Ces deux sections se rencontrent au coude qui, comme le genou, est une articulation charnière.

## ASSEMBLE TES MAINS

Alors, les bras : pas vraiment compliqués ! Maintenant, les mains. Tu as deviné ! C'est comme recommencer les pieds. Il y a beaucoup de petits os – 27 cette fois. Commence par le poignet.

Tu penses peut-être qu'il ne se compose que d'un seul os, mais en fait il y en a huit, des os noueux appelés les carpiens, qui sont reliés aux doigts par cinq longs os, les métacarpes. Chaque doigt est composé de trois os, les phalanges, tandis que les pouces n'en ont que deux. Tout un travail ! Mais c'est ce qui rend tes

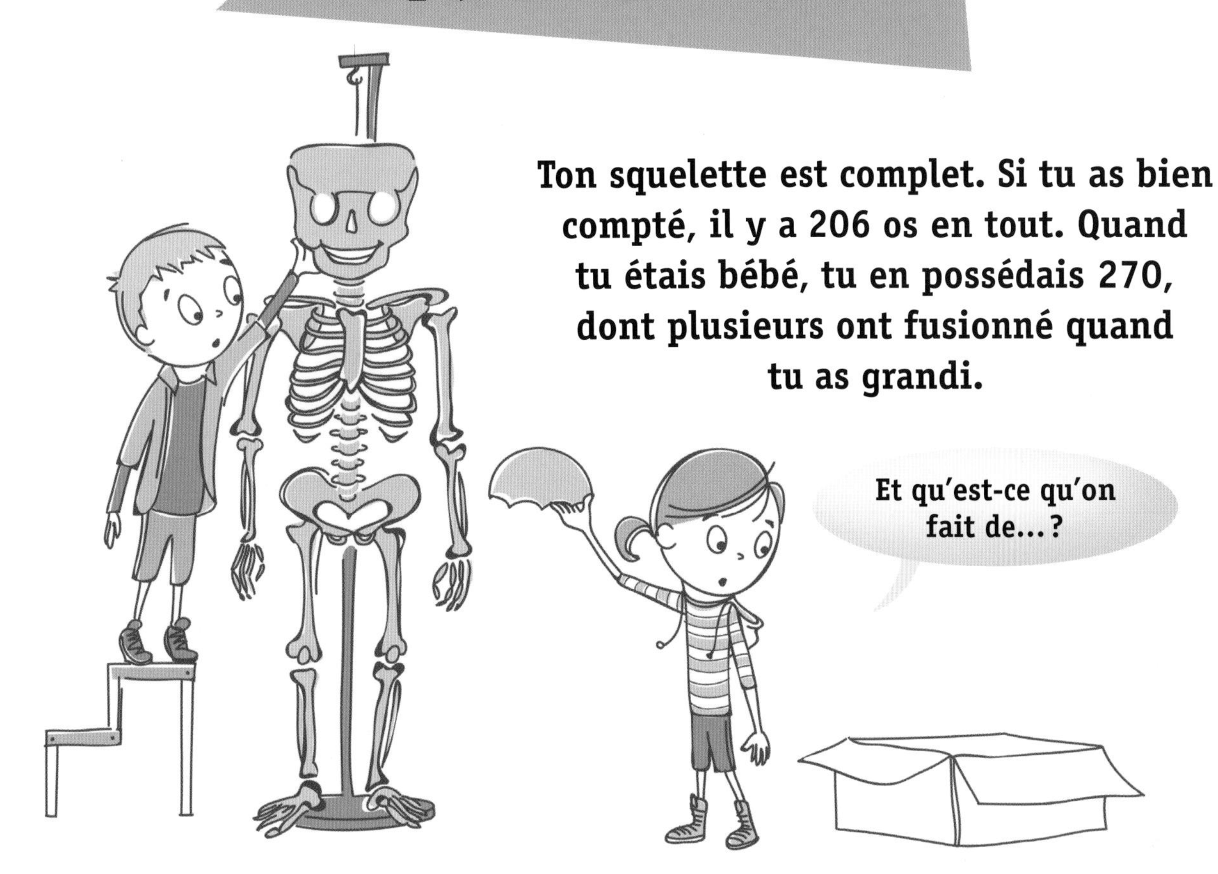


mains aussi agiles – et aptes à faire un travail comme celui-là.

## ET LA TÊTE, ALOUETTE !

Au moins, créer les mains et les pieds constitue un bon exercice de préparation à l'assemblage du crâne. Il est composé de 28 os, de formes et de tailles disparates, qui doivent être assemblés comme les pièces d'un casse-tête. Commence par les 14 os qui composent le visage. Parmi ceux-ci, on trouve le seul os du crâne qui est mobile, l'os de la mâchoire inférieure ou mandibule. Heureusement, sinon nous aurions de graves difficultés à manger et à parler. Enfin, assemble les six petits os de l'oreille et les huit os de la calotte du crâne. Prépare-toi maintenant à sceller le crâne et à le placer sur les vertèbres. Attends : juste avant de le faire, tu dois y insérer un organe vital – le plus important de tous....

### PAS DRÔLE LE NERF ULNAIRE – NON !

C'est dans le coude qu'on trouve le « petit juif ». Drôle de nom, pas vrai ? Mais si tu te frappes fortement le coude, tu verras qu'il n'a rien de drôle. Et ce n'est même pas un os, mais un type de nerf ! L'origine de son nom remonte aux commerçants juifs qui mesuraient les tissus à l'aune, c'est-à-dire en les enroulant autour de l'avant-bras, de la main au coude, et qui se cognaient souvent le nerf ulnaire. Hmm.

étape 3

# Installe le poste de commande

**PENSES-Y** Sans l'encéphale, un humain ne peut pas penser, ni bouger, ni comprendre le monde. C'est donc le premier organe que tu devras ajouter. Place-le dans la boîte crânienne et prépare-toi à le brancher.

**L'ENCÉPHALE** L'encéphale, une grosse masse ridée de gelée grise, n'a pas l'air particulièrement éveillé. Mais il peut enregistrer beaucoup plus d'information et travailler beaucoup plus vite que n'importe quel ordinateur. Les trois principales parties que l'on peut voir sont : le cerveau, la partie la plus volumineuse située sur le dessus, le cervelet, plus petit, en dessous, à côté du tronc cérébral. La partie extérieure ridée du cerveau s'appelle le cortex cérébral. Tu remarqueras qu'une profonde rainure le divise en deux moitiés ou hémisphères. L'hémisphère gauche contrôle et reçoit l'information du côté droit du corps. Inversement, l'hémisphère droit contrôle et reçoit l'information du côté gauche du corps.

Des parties de chaque hémisphère contrôlent certaines habiletés, comme la

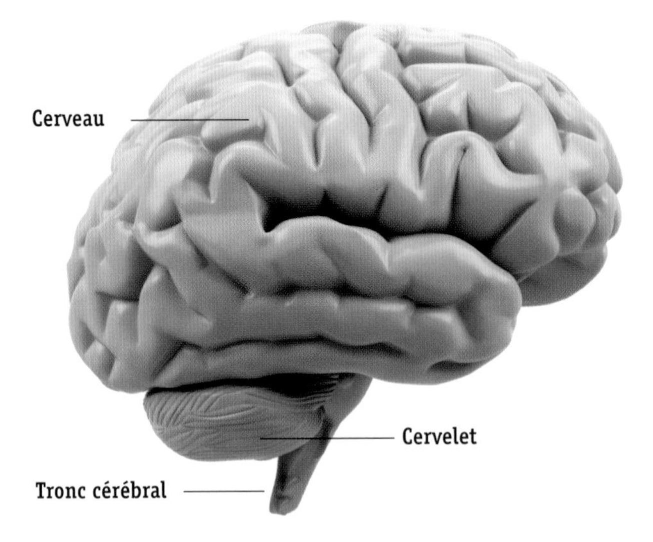

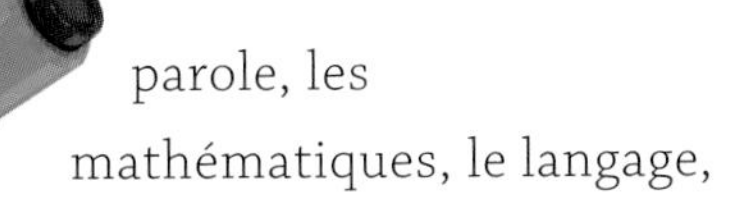

parole, les mathématiques, le langage, la reconnaissance des visages et bien d'autres choses. Une partie à l'arrière du cortex est dédiée à la vision, tandis que la grosse partie à l'avant est celle où se déroule la majeure partie de la pensée et de la prise de décisions.

## UN PAQUET DE NERFS

La moelle épinière, composée d'un gros paquet de nerfs, est le lien entre l'encéphale et le reste du corps. Connecte ce câble principal au tronc cérébral et passe-le à l'intérieur de la colonne vertébrale.

## Super branché

Chaque nerf se compose de plusieurs longues cellules appelées neurones, qui transmettent des messages sous forme d'impulsions électriques. Il y a deux principaux types de nerfs : les nerfs sensoriels qui transmettent au cerveau des messages au sujet du monde extérieur, notamment des sensations comme la chaleur et la douleur ; et les nerfs moteurs, qui transmettent les messages du cerveau indiquant au corps comment agir. Le cerveau reçoit et émet des milliers de messages à chaque seconde.

Ensemble, l'encéphale et la moelle épinière constituent ce qu'on appelle le système nerveux central.

Ensuite, tu devras brancher les centaines de petits câbles, appelés les nerfs, qui relient la colonne vertébrale au reste du corps. Un être humain en compte environ 70 km, alors cela pourrait te prendre pas mal de temps !

**Les terminaisons nerveuses libres sentent la chaleur et t'aident à apprécier un bon bain chaud.**

**N'OUBLIE PAS LE TOUCHER** Enfin, les nerfs sont connectés à la peau, qui compte plusieurs types de terminaisons nerveuses. Certaines, appelées récepteurs, enregistrent la pression et l'étirement. D'autres, dites terminaisons nerveuses libres, sentent la chaleur, le froid et la douleur. Veille à étendre les nerfs à toutes les parties du corps, plus particulièrement aux yeux, à la bouche et aux doigts. Après tout, ces parties te donnent des tas de renseignements sur le monde extérieur. Tes doigts, par exemple, peuvent sentir le moindre toucher et la plus infime différence de texture.

**DÉTECTION RAPIDE** Les messages émanant de ces parties du corps peuvent être rapides comme l'éclair, voyageant à 100 m à la seconde ou 360 km à l'heure.

Touche une cuisinière chaude – ouch ! – et tu retireras la main et sauteras dans les airs avant même de te rendre compte de ce qui s'est passé. Des réactions comme celle-là s'appellent des réflexes.

**ET LES YEUX ?** D'accord, on place les yeux. Oui, ils sont ronds et caoutchouteux, mais ne les fais pas rebondir. Dépose-les dans les cavités du crâne, aussi appelées orbites. Six bandes de muscle attachent chaque globe oculaire aux orbites et font bouger les yeux. Un nerf optique relie chaque œil au cerveau.

À l'avant de l'œil, l'iris coloré entoure la pupille noire. Ils sont tous deux recouverts d'une mince couche transparente appelée la cornée. Derrière ces structures, on trouve le cristallin et, à l'arrière de l'œil, une partie extrêmement sensible, la rétine.

## Une question de longueur

Si ton globe oculaire est trop long, la mise au point de l'image se fera devant la rétine. Tu seras myope, ce qui veut dire que tu auras de la difficulté à voir loin. Si ton globe oculaire est trop court, la mise au point se fera derrière la rétine. Tu seras presbyte et pourrais avoir de la difficulté à lire ces lignes. Dans ces deux cas, tu auras besoin de lunettes.

**REGARDE** Quand tu regardes quelque chose, de la lumière entre dans ton œil par la pupille. Le cristallin met l'image au point sur la rétine, qui la transmet sous forme de signaux voyageant par le nerf optique jusqu'au cerveau. Le cerveau compare ensuite l'information reçue des deux yeux pour créer une image mobile en trois dimensions.

Trop **fort !**

Qu'est-ce que **tu as dit ?**

## OYEZ, OYEZ !

Ce que tu appelles tes oreilles – ces excroissances sur le côté de ta tête – sont tout simplement des replis de cartilage et de peau qui servent à orienter le son vers ton crâne (tu les ajouteras plus tard). Le travail délicat de l'ouïe, qui se passe à l'intérieur du crâne, est effectué par une grappe de nerfs, les trois plus petits os de ton corps et un tambour.

## FRAPPE LE TAMBOUR

Eh oui, un tambour. Les sons voyagent dans l'air sous forme d'ondes de pression et, en passant par ton conduit auditif ou canal auriculaire, ils frappent une mince membrane de peau – le tympan. De l'autre côté de cette peau, dans ce qu'on appelle l'oreille interne, il y a trois os minuscules, les osselets – appelés le marteau, l'enclume et l'étrier en raison de leur forme respective. Espérons que tu as pensé à les ajouter, car leur rôle est vital !

Les ondes sonores font vibrer le tympan et le tympan fait bouger les petits os. Ces mouvements créent des ondes de pression dans l'oreille interne. Ces ondes sont perçues par un nerf en forme d'escargot appelé cochlée. La cochlée convertit les ondes en messages sonores que le cerveau reconnaît comme des sons. Oh non, pas encore *cette* chanson-là !

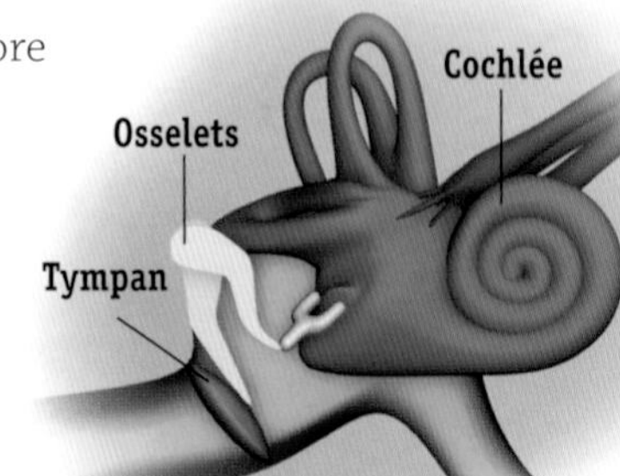

**Non seulement ton chien a-t-il plus de chromosomes que toi, mais il entend aussi beaucoup mieux que toi. Les chiens perçoivent des sons très aigus que nous ne remarquons même pas.**

# Pop !

Si la pression de l'air à l'intérieur et à l'extérieur du tympan n'est pas équilibrée, la perception des sons peut devenir étouffée. Un tube reliant l'oreille interne à la gorge et au nez – la trompe d'Eustache – peut, toutefois, laisser l'air circuler. Ainsi, en avalant, en bâillant ou en te mouchant, tu peux habituellement régler ce problème et te « déboucher » les oreilles.

**FAIS LA TOUPIE** Tourne rapidement sur toi-même. Puis recommence et recommence encore une fois. Arrête. Déjà étourdi ? Reste immobile pendant une minute. Toujours étourdi ? Quand tu tournes sur toi-même, le fluide à l'intérieur des tubes de ton oreille interne, appelés canaux semi-circulaires, commence à s'agiter aussi. Ce mouvement t'étourdit. Même quand tu arrêtes, le fluide continue son mouvement. C'est pourquoi l'étourdissement ne cesse pas instantanément.

## TÊTE EN HAUT OU EN BAS ?

En plus des images et des sensations, le mouvement de ces tubes internes de l'oreille dit à ton cerveau si tu te tiens droit, penché ou même la tête en bas. En réaction, le cerveau ajuste ton corps pour que tu restes en équilibre. Ou il te suggère de ramener les pieds sur terre.

## UNE QUESTION DE GOÛT

N'oublie pas de raccorder aussi les nerfs du nez et de la bouche. Sinon, ton humain sera incapable d'apprécier ton excellente cuisine. Les principaux senseurs d'odeur ou bulbes olfactifs sont situés derrière le haut du nez, en avant, juste en dessous du cerveau. Les senseurs de goût ou nerfs gustatifs sont répartis dans la bouche et la gorge, et sur la langue.

## MMM OU YERK ?

Quand tu inspires, ton nez aspire des molécules odorantes de diverses substances dans l'air. Les molécules se dissolvent dans le mucus de la partie supérieure du nez et activent des cellules d'odorat, qui transmettent les messages au cerveau par les nerfs olfactifs. C'est alors que tu découvres s'il s'agit d'une bonne ou d'une mauvaise odeur. Mmm ou yerk ?

Les cellules du goût ou papilles gustatives qui tapissent ta langue, ta bouche et ta gorge transmettent des messages aux nerfs gustatifs. Elles peuvent identifier une vaste gamme de saveurs, qui sont habituellement divisées en cinq grandes catégories : le sucré, l'aigre, l'amer, le salé et l'aromatique. Laquelle préfères-tu ?

**Quand on vieillit, les papilles gustatives meurent. C'est pourquoi tu as le sens du goût plus aiguisé que tes parents.**

**Le chien demeure le champion de l'odorat : les humains ont 5 millions de récepteurs dans le nez, tandis que les chiens en ont 200 millions et peuvent distinguer beaucoup d'odeurs.**

## UN DUO DYNAMIQUE

L'odorat et le goût vont de pair. Ils travaillent ensemble pour te prévenir de la présence de substances qui pourraient être dommageables pour toi, comme des aliments avariés. On pense que le goût est le sens le plus puissant, mais ce que nous percevons comme du goût vient souvent de l'odorat. Si tu n'en es pas convaincu, essaie de te boucher le nez quand tu manges ton aliment préféré. Il ne goûte pas aussi bon, n'est-ce pas ?

## UNE SURVEILLANCE CONSTANTE

D'autres parties du corps aident aussi le cerveau à surveiller les processus vitaux et à réagir au monde extérieur. De petits organes, les glandes, produisent des composés chimiques connus sous le nom d'hormones qui aident à garder tous tes systèmes en équilibre. Certaines glandes sont stimulées par les choses que tu ressens. Par exemple, une vision terrifiante – quelqu'un qui fonce sur toi en skate-board – amène les glandes surrénales situées dans ton abdomen à produire une hormone appelée l'adrénaline, qui te donne une bouffée d'énergie pour t'aider à échapper au danger. Quand la nuit tombe, ta glande pinéale, nichée dans le cerveau, fabrique une hormone appelée la mélatonine qui te rend somnolent et te prépare à te reposer.

Après tout ce travail de branchement, tu dois avoir envie de te reposer toi aussi. Alors, détends-toi et prends une grande respiration...

étape 4

# Mets sur pied l'usine d'alimentation

**TOUT AUTOUR** Pour fonctionner, tes cellules, ton cerveau et toutes les autres parties de ton corps ont besoin d'un approvisionnement régulier en oxygène. Mais comment obtiens-tu cet oxygène ? Eh oui, en respirant cet air riche en oxygène qui est tout autour de toi. L'étape suivante consiste donc à ajouter les poumons pour faire pénétrer de l'air dans ton humain, puis un cœur et des vaisseaux sanguins pour distribuer l'oxygène dans tout son corps.

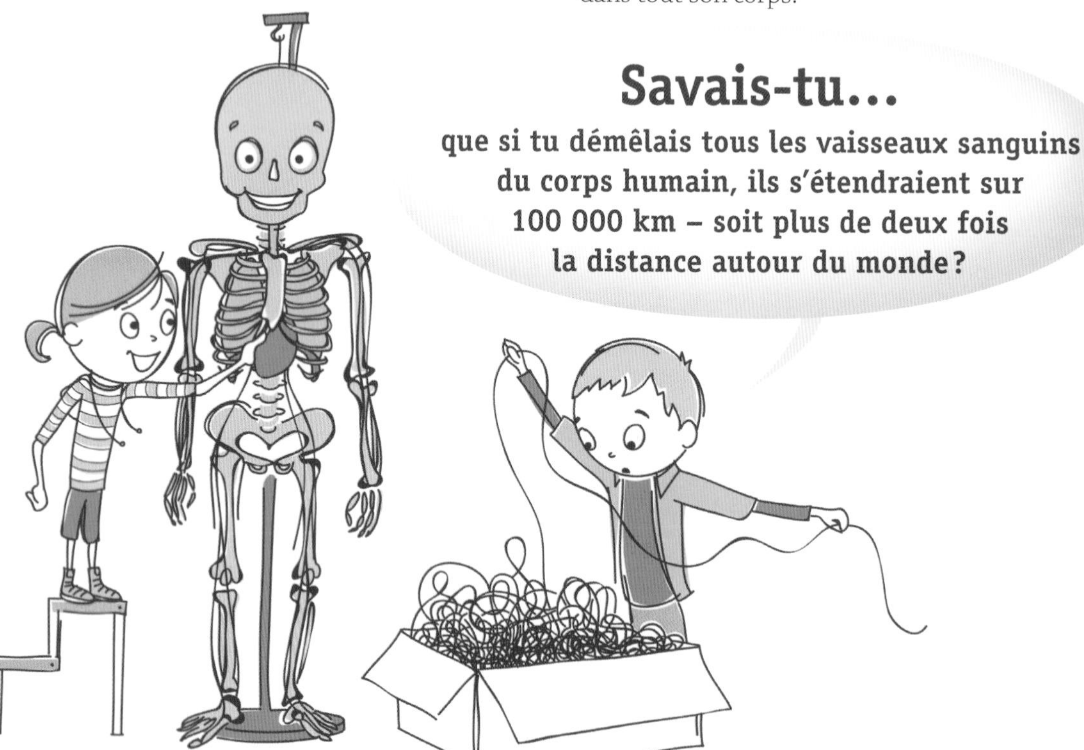

## Des coussins d'air

Soulève délicatement les poumons. Ils sont mous, spongieux et humides, n'est-ce pas ? Commence par les attacher à ce tube ondulé et recourbé qui ressemble un peu au tuyau qui dépasse à l'arrière d'une machine à laver. Ce conduit s'appelle la trachée. Fais ensuite glisser les poumons et la trachée dans la cage thoracique de façon à ce que la trachée rejoigne la gorge. Vas-y doucement !

Assure-toi d'avoir placé les poumons dans le bon sens : le poumon droit est plus gros et comprend trois sections (lobes), tandis que le poumon gauche, plus petit, n'en a que deux. Un muscle large appelé le diaphragme s'insère sous les poumons et aide à les garder en place.

## Le cœur

Dans l'espace restreint à côté du poumon gauche plus petit, place le cœur, cet organe ovale un peu plus gros que ton poing. Connecte-le ensuite aux principaux vaisseaux sanguins – les tubes épais, appelés des artères, et les tubes plus fins, appelés des veines. Les artères et les veines rejoignent des artères et des veines plus petites, qui se connectent à leur tour à de minuscules vaisseaux sanguins appelés des capillaires. C'est un peu comme un réseau routier avec des autoroutes, des routes principales et des routes secondaires. Certains capillaires sont même plus fins que des cheveux, et il y en a beaucoup. Combien ? Oh, environ 300 millions. Espérons que tu n'avais pas de rendez-vous importants !

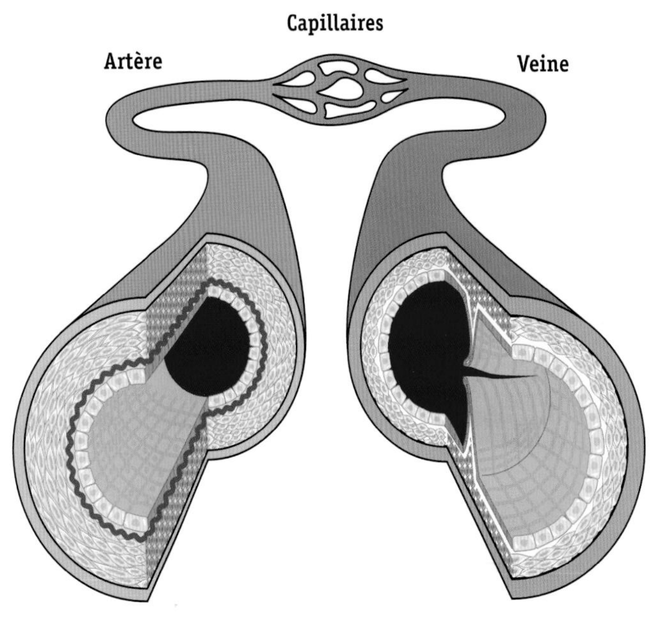


## L'air entre et sort...

Lorsque tu inspires (fais-le maintenant), ton cerveau indique aux muscles de ta poitrine de remonter tes côtes vers l'extérieur, tout en abaissant ton diaphragme. Cela permet aux poumons de prendre de l'expansion et d'inspirer de l'air de l'extérieur du corps. Lorsque tu expires, les muscles de ta poitrine laissent retomber tes côtes, pendant que ton diaphragme remonte, ce qui fait ressortir l'air. L'air entre et sort... entre et sort... entre et sort...

## L'ARBRE DE VIE

L'air entre dans les poumons grâce à deux grandes voies aériennes appelées les bronches. Dans chaque poumon, les bronches se connectent à des bronches plus petites, qui se ramifient en tubes plus fins appelés bronchioles. C'est un peu comme un arbre à l'envers avec des centaines de branches et des milliers de brindilles – qui s'appelle en fait l'« arbre respiratoire ».

Il y a au bout des brindilles, ou des bronchioles, des grappes de coussins d'air – comme des grappes de raisins miniatures. On les appelle des alvéoles. Lorsque l'air atteint les alvéoles, l'oxygène contenu dans l'air passe dans les vaisseaux sanguins environnants pour être transporté dans toutes les parties du corps.

**Les poumons contiennent plus de 300 millions d'alvéoles et 2 400 km de voies aériennes – soit environ la distance entre Paris et Moscou.**

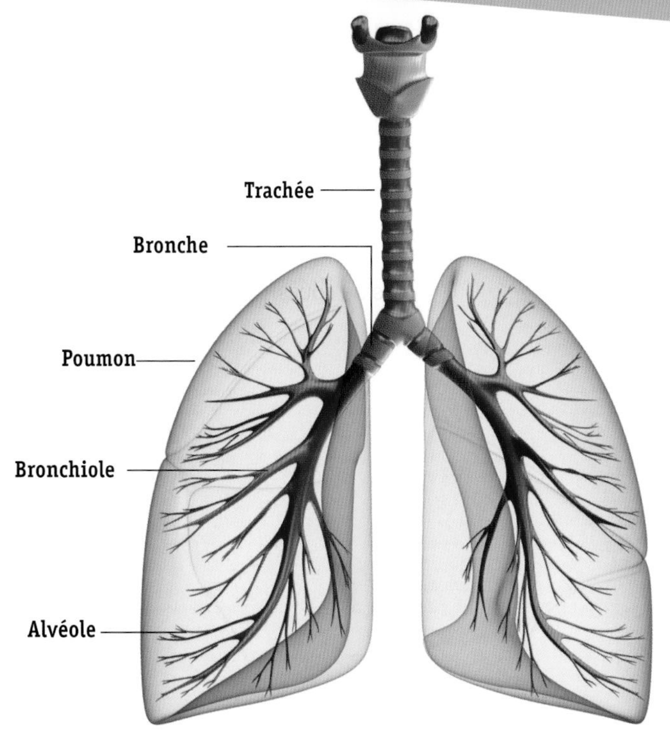


En même temps, des gaz indésirables présents dans le sang (principalement du bioxyde de carbone) sont ramenés des vaisseaux sanguins dans les alvéoles pour ensuite remonter l'arbre respiratoire jusque dans les poumons, qui les expulsent lorsque tu expires.

## PLUS VITE, PLUS VITE !

En ce moment, tu te sens probablement bien « relax », et ta respiration est régulière, à un rythme d'environ 15 inspirations à la minute. Dès que tu déposeras ce livre et que tu te mettras à soulever des os et à connecter des organes, cependant – ou à faire toute autre forme d'exercice –, tes muscles devront travailler plus fort. Tu auras alors besoin de plus d'oxygène, et tu te mettras à respirer plus vite pour l'obtenir. Tu n'as pas besoin d'y penser, car ton cerveau s'occupe de tout, comme il le fait la plupart du temps.

Même si tu décides d'arrêter de respirer, ton cerveau ne te laissera pas faire. Tu peux retenir ton souffle pendant une minute ou deux, mais ton cerveau ne tardera pas à prendre le dessus et à te forcer à respirer.

**LE CŒUR POMPE !** Ton cœur est une puissante pompe qui fait constamment circuler le sang partout dans ton corps. Étends-toi dans un endroit tranquille et pose une main sur ta poitrine. Est-ce que tu entends ton cœur qui pompe ? Oui ? Ouf ! Ça veut dire que tu es toujours en vie !

Le côté gauche du cœur envoie du sang riche en oxygène des poumons au reste du corps, tandis que le côté droit du cœur pompe le sang appauvri en oxygène dans le corps pour le ramener dans les poumons. Chaque côté du cœur est doté d'une cavité supérieure appelée oreillette et d'une cavité inférieure appelée ventricule.

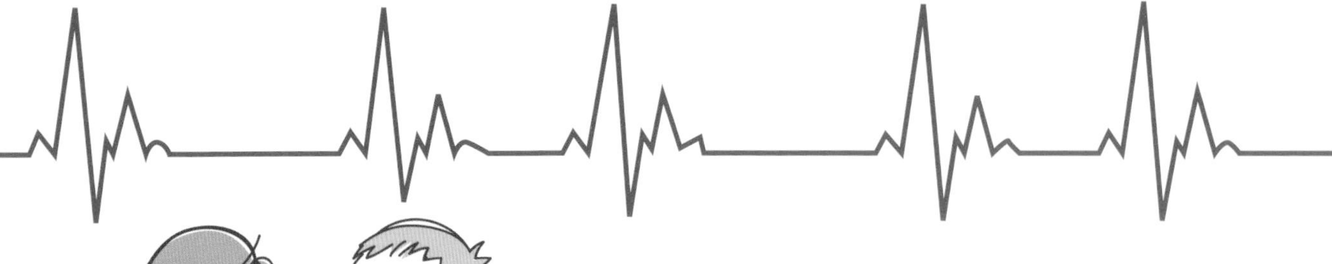

## ÉCOUTE LE CŒUR QUI BAT

Le sang pénètre dans les oreillettes, après quoi des valves s'ouvrent pour le laisser tomber dans les ventricules. Une fois ces valves refermées, les muscles du cœur pompent le sang vers les artères dans un autre ensemble de valves. Le son des valves qui s'ouvrent et se ferment représente le battement de ton cœur.

Tandis que le sang faible en oxygène se rend aux poumons, le sang riche en oxygène circule dans les artères, jusqu'aux capillaires, qui sont tellement minces que l'oxygène peut s'infiltrer dans le tissu environnant. Le sang désoxygéné circule ensuite dans les veines, qui le ramènent au cœur.

## SUIS LE COURANT

En plus de l'oxygène, le sang transporte une foule d'autres substances vitales dans ton corps. Plus de la moitié de ton sang est une substance transparente et aqueuse appelée plasma, qui transporte des substances nutritives importantes, ainsi que des globules sanguins. Les globules rouges donnent au sang sa couleur, tout en transportant l'oxygène et en retirant les gaz résiduels.

Les globules blancs sont beaucoup moins nombreux – il n'y en a qu'un pour 700 globules rouges – mais ils sont d'une importance capitale. Ils tuent les bactéries et les virus hostiles qui peuvent te rendre malade. Le sang contient aussi des fragments cellulaires appelés plaquettes, qui forment un caillot au site d'une coupure pour l'arrêter de saigner et l'aider à guérir.

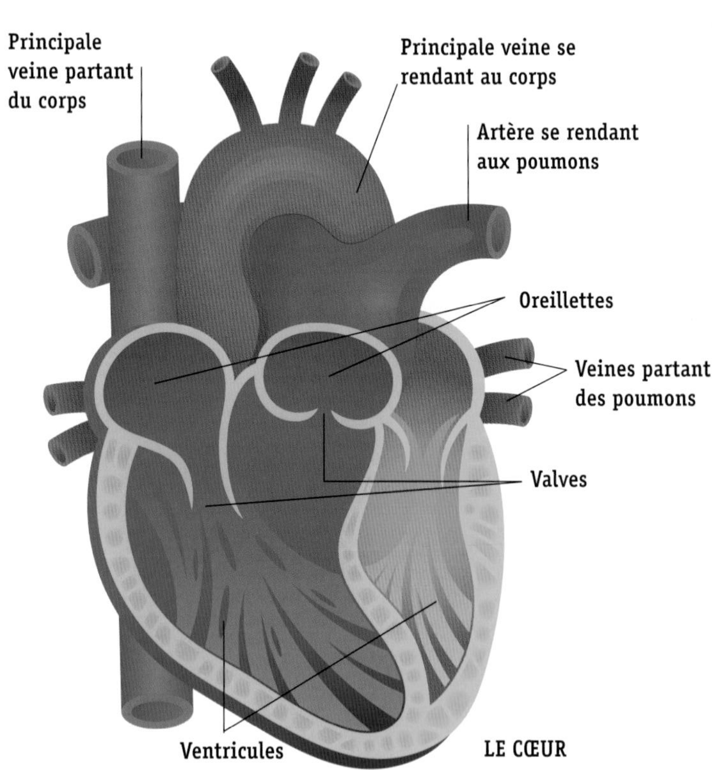

**Dans un corps en santé, les globules blancs accomplissent la tâche vitale de tuer les bactéries et les virus hostiles.**

**DES RENFORTS** Les globules blancs patrouillent aussi un autre système qui contribue à lutter contre la maladie, c'est-à-dire le système lymphatique, un réseau de vaisseaux qui drainent les fluides excédentaires dans les tissus. Un petit organe appelé la rate, qui se trouve sous tes côtes, du côté gauche, fait partie de ce système ; elle crée des globules blancs additionnels qui luttent contre les microbes.

Le long des vaisseaux lymphatiques, il y a des ganglions, semblables à des billes, qui filtrent les microbes et autres substances indésirables. Lorsque tu as une infection, il arrive fréquemment qu'ils gonflent, et tu peux les sentir comme des bosses, qu'on appelle communément des « gonflements lymphatiques ».

Quoi ? Tout un autre système de vaisseaux à installer ? J'en ai bien peur. Après cela, tu auras vraiment besoin de refaire le plein.

# Branche le système d'alimentation en carburant

## La source d'énergie

Le combustible du corps ? Tu te demandes peut-être de quoi il s'agit. Eh bien, ce n'est pas le charbon ou la vapeur, l'électricité ou l'essence, mais la nourriture, bien entendu. Manger est ce qui te fournit l'énergie nécessaire pour courir, sauter, respirer et lire ce livre. En fait, ton corps contient un ensemble de parties, c'est-à-dire le système digestif, qui a pour fonction de transformer la nourriture en énergie – et de se débarrasser des substances dont tu n'as pas besoin.

## Ouvre grand!

La nourriture entre dans le corps par la bouche, et c'est là que tu dois commencer à connecter le système digestif. Vérifie si

toutes les dents sont présentes et bien placées, car elles sont essentielles pour réduire les aliments en petits morceaux.

Quand tu étais un jeune enfant, tu avais 20 dents de bébé ou de lait et, comme tu l'as remarqué, elles sont tombées graduellement, te donnant ce drôle de sourire troué que nous avons tous entre l'âge de six et dix ans environ. Tellement mignon ! Heureusement pour nous et pour notre album de photos, nos dents de lait sont remplacées par des dents d'adulte, plus grosses et d'un blanc éclatant, dont le nombre finit par atteindre 32.

## HACHER ET MASTIQUER

Regarde-toi dans le miroir ou passe la langue sur tes dents et tu t'apercevras qu'il y a trois grandes sortes de dents. Les huit dents du milieu, en forme de pelle, sont les incisives. Elles hachent les aliments, tandis que les quatre dents pointues de chaque côté d'elles, appelées les canines, s'en emparent et les déchirent. Les dents plus plates et plus carrées à l'arrière – les molaires – les mastiquent et les broient.

Chaque dent est dotée d'une racine profonde qui s'enfonce dans la mâchoire et que les gencives protègent. Au-dessus de la gencive, la dent est couverte d'émail – la substance la plus dure du corps humain.

## L'EAU À LA BOUCHE !

Quand tu mastiques les aliments, la salive les humidifie et les ramollit. La salive, produite par des glandes situées sous la langue et à l'arrière de la bouche, contient des substances chimiques, les enzymes, qui tuent les microbes et commencent à dégrader les aliments.

Dès que tu vois ou sens des aliments, ton cerveau indique à tes glandes de fabriquer plus de salive en vue de l'ingestion – tu as l'eau à la bouche !

## LE BOL ALIMENTAIRE

Pendant que tu mastiques, les muscles de ta langue et de tes joues font des aliments une boule molle appelée bol alimentaire. Ta langue l'envoie à l'arrière de ta bouche, où elle est prête à être avalée.

**Les muscles de ton système digestif sont tellement forts que tu peux même manger en te tenant la tête en bas – même si cela est nettement déconseillé !**

## POUR NE PAS S'ÉTOUFFER

L'arrière de la bouche est relié à un long tube de muscles appelé l'œsophage. Fais-le glisser dans la cage thoracique, derrière la trachée. Tu dois ensuite mettre un couvercle sur la trachée pour empêcher ton humain de s'étouffer quand il mange. Ce couvercle est un petit rabat de tissus appelé l'épiglotte. Quand tu avales, il se rabat et empêche la nourriture de descendre dans la trachée au lieu de prendre la voie de l'œsophage. C'est cool, n'est-ce pas ?

## LE LONG DE L'ŒSOPHAGE

Une fois qu'ils ont pris la bonne direction, les aliments ne dégringolent pas dans l'œsophage comme un enfant sur une glissoire. La gravité fait sa part, bien sûr, mais les muscles de la gorge donnent au bol alimentaire une bonne poussée pour accélérer sa descente, tandis que les muscles entourant l'œsophage se resserrent l'un après l'autre pour continuer à le faire descendre le long du tunnel glissant tapissé de mucus.

Cette activité musculaire, qui se poursuit tout le long de ton système digestif, est appelée péristaltisme. Elle est tellement puissante que tu peux même avaler de la nourriture quand tu as la tête en bas. Dis-toi, toutefois, que ce n'est pas la façon la plus sûre ni la plus intelligente de manger !

Estomac

**LE CHYME** Fais passer le bas de l'œsophage dans le trou du diaphragme et attache-le à l'estomac. D'une forme qui rappelle une grosse banane, l'estomac est le principal robot culinaire du corps. En regardant l'estomac vide, tu te demandes peut-être comment il peut contenir les énormes repas que tu avales. Heureusement, il est tapissé de plis et couvert de muscles extensibles qui lui permettent de se dilater et de devenir 24 fois plus grand que lorsqu'il est vide.

L'œsophage propulse le bol alimentaire dans l'estomac en quelques secondes – soit environ le temps qu'il te faut pour lire cette phrase. À l'aide de puissantes contractions musculaires, l'estomac pétrit le bol alimentaire tout en libérant des sucs gastriques acides qui dégradent les aliments encore davantage. Au bout de quelques heures, le résultat est une bouillie visqueuse appelée le chyme.

## DE PUISSANTS ACIDES

Les acides dans ton estomac sont assez puissants pour enlever de la peinture sur un mur ou dissoudre des métaux mous. Heureusement, un mucus épais protège les parois de ton estomac.

**NON MERCI !** Bien entendu, il arrive occasionnellement que ton estomac détecte tellement de mauvaises bactéries dans des aliments – par exemple dans de la nourriture avariée – qu'il les rejette. Le péristaltisme fait alors marche arrière et renvoie la nourriture dans l'œsophage pour que tu puisses la vomir. Ouache !

## LÀ OÙ ÇA SE PASSE

La partie inférieure de l'estomac rejoint un long tube appelé l'intestin grêle. Fais bien attention en l'attachant, car il fait plus de 5 m de long et doit être plié des douzaines de fois pour entrer dans l'espace sous l'estomac. Ne l'emmêle pas !

Au-dessus de l'estomac, place le gros organe appelé le foie et attache-le à la vésicule biliaire, qui ressemble à un petit sac. Insère ensuite le pancréas gaufré sous l'estomac. Le foie, la vésicule biliaire et le pancréas sont tous liés à la partie supérieure de l'intestin grêle, le duodénum, qui est le théâtre d'une activité digestive intense.

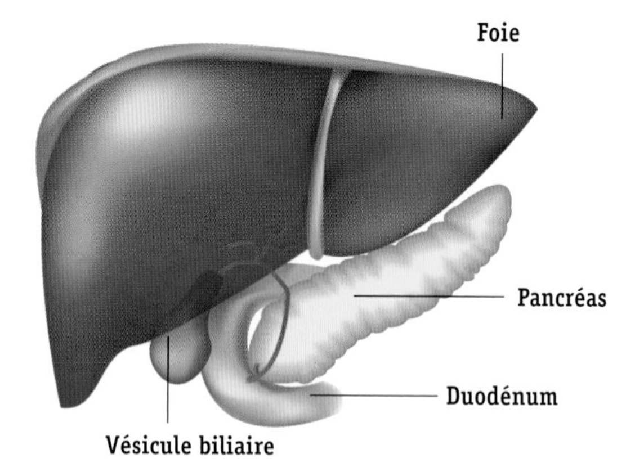


## TRANSFERT D'ÉNERGIE

Le foie, qui est le plus gros organe à l'intérieur du corps, produit un liquide verdâtre, la bile, qui est stockée dans la vésicule biliaire et éclabousse le duodénum lorsque la nourriture passe dedans. La bile dégrade le gras et stimule la digestion. Le pancréas fournit aussi des fluides qui contribuent à la digestion.

En plus, le pancréas produit l'insuline, une hormone vitale qui contrôle les taux de glycémie ou de glucose sanguin.

## Le multitâche

La fabrication de la bile n'est qu'une des quelque 500 tâches dont s'occupe l'étonnant organe qu'est le foie. Regorgeant de vaisseaux sanguins, il retire les microbes du sang, contrôle la circulation des substances nutritives dans l'organisme, régule les hormones et stocke les vitamines et les minéraux. Et tout cela simultanément, à longueur de journée, tous les jours. Assez impressionnant, n'est-ce pas ?

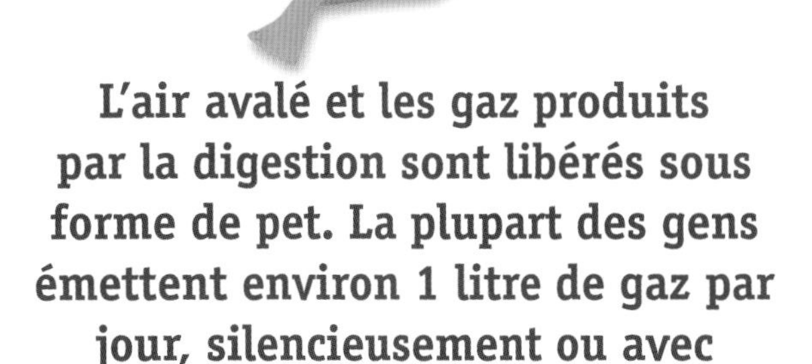

**L'air avalé et les gaz produits par la digestion sont libérés sous forme de pet. La plupart des gens émettent environ 1 litre de gaz par jour, silencieusement ou avec des bruits d'accompagnement !**

Pendant que le chyme circule d'un bout à l'autre de l'intestin grêle, ce qui prend environ six heures, il est dégradé en substances nutritives que le corps peut absorber. Ces substances nutritives traversent la paroi plissée de l'intestin et pénètrent dans la circulation sanguine.

**JUSQU'EN BAS** Connecte l'extrémité de l'intestin grêle au gros intestin – un tube plus gros qui fait environ 1,5 m de long. Il longe le côté droit de l'abdomen, vers le haut, passe au-dessus de l'intestin grêle, puis redescend du côté gauche jusqu'en bas du bassin.

Durant plusieurs heures, le gros intestin absorbe de l'eau et des sels provenant des résidus alimentaires et les transfère dans le sang. Des billions de bactéries amicales – dix fois plus nombreuses que les cellules dans ton corps – mettent la main à la pâte.

**SORTIE** Finalement, quelques fois par jour, les muscles dans les intestins poussent les matières résiduelles semi-solides – le caca ou, plus correctement, les fèces – dans la dernière partie de l'intestin, soit le rectum. Les fèces y demeurent jusqu'à ce que tu ailles aux toilettes.

**Es-tu sûr que c'est l'intestin GRÊLE, le plus petit ?**

étape 6

# INSTALLE LA PLOMBERIE

## IL Y A BEAUCOUP D'EAU

Naturellement, les résidus solides ne sont pas tout ce qu'il faut éliminer régulièrement. L'eau compte pour plus de la moitié du poids d'un humain et elle est une composante vitale de nombreuses fonctions corporelles. Il y en a donc beaucoup qui circule dans le corps d'un humain. Par conséquent, tu as intérêt à installer un bon système de plomberie dans ton humain.

## DE L'EAU EN QUANTITÉ

Tes cellules sont remplies d'eau, et l'eau constitue la majorité des liquides – y compris le sang – qui transportent les substances nutritives dans ton corps. En outre, l'eau humecte les tissus, lubrifie les muscles et les articulations, améliore la digestion, évacue les toxines, contribue à réguler le gras et contrôle la température corporelle. Impressionnant, n'est-ce pas !

Tu as donc besoin d'un approvisionnement régulier en eau fraîche pour tout garder en parfait état – soit environ 2,5 litres par jour, et plus si tu fais beaucoup d'exercice qui te fait transpirer. Environ la moitié de cette eau proviendra de la nourriture, mais l'autre moitié doit prendre la forme de liquides, de préférence simplement de l'eau.

**L'eau compte pour 75 pour cent du poids de ton cerveau, tandis qu'elle compte pour presque 90 pour cent du poids de tes poumons.**

## UN BON SYSTÈME DE DRAINAGE

L'eau pénètre dans ton corps par le système digestif et est absorbée dans la circulation sanguine. À mesure que de l'eau fraîche arrive, l'eau usée, comme les déchets corporels toxiques, est évacuée en passant par une série de filtres, de réservoirs et de tuyaux appelée le système urinaire. Ce système inclut deux organes en forme de

Hum, qui a fait ça ?

haricots, de la taille d'un poing, les reins, qui contrôlent les niveaux d'eau dans l'organisme et retirent les déchets du sang.

Place les reins à l'arrière de ton humain, de chaque côté de la colonne vertébrale, juste au-dessus des hanches, et attache-les aux vaisseaux sanguins principaux. Ensuite, relie les reins aux deux longs tubes de drainage, les uretères, et accroche ceux-ci à la vessie, une poche qui se trouve à l'extrémité du bassin.

## Bois un coup !

Tu as soif ? C'est ton cerveau qui te dit que tu as besoin de plus d'eau. Si tu ne réagis pas, ton corps se mettra à puiser de l'eau dans ses cellules et ses muscles et tu ne te sentiras pas très bien. C'est ce qu'on appelle la déshydratation. Et si tu ne consommes pas d'eau du tout, tu ne survivras pas plus de quelques jours. C'est le temps de boire un coup ?

## FILTRES À EAU

Le sang traverse régulièrement les reins en passant par un réseau complexe de fins vaisseaux sanguins et de minuscules filtres appelés néphrons – il y en a plus de un million dans chaque rein ! Les néphrons extraient l'eau excédentaire et de petites quantités de substances chimiques résiduelles. Cette eau et ces déchets se combinent pour former un liquide jaunâtre, l'urine, qui passe goutte à goutte dans les uretères.

Les reins ajustent le flux et la concentration de l'urine selon la quantité d'eau que tu as absorbée. Si tu n'en as pas bu suffisamment et que tu es légèrement déshydraté, ton urine contiendra moins d'eau et sera d'un jaune plus foncé. C'est une façon de te rappeler de remplir ton verre et de boire !

## QUAND TU NE PEUX PLUS TE RETENIR

Les muscles dans les uretères se contractent à répétition (tout comme les muscles dans l'œsophage) et poussent l'urine dans la

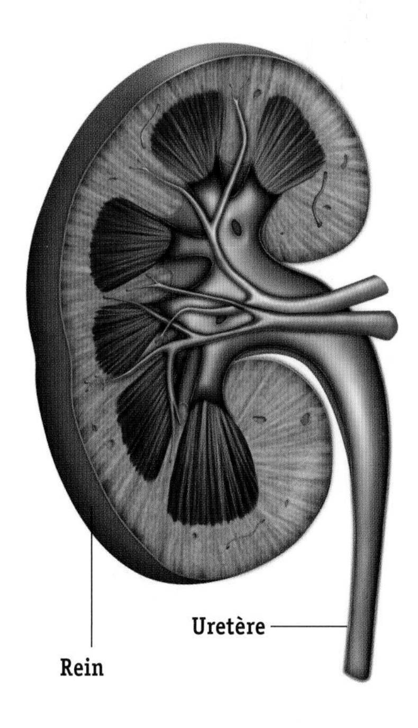


vessie. Cette poche souple est à peu près de la taille d'une prune lorsqu'elle est vide, mais elle peut devenir aussi grosse qu'un pamplemousse une fois pleine.

Lorsqu'il y a environ 125 ml d'urine dans ta vessie, les récepteurs à l'étirement alertent ton cerveau, qui se met à t'avertir que tu auras bientôt besoin d'aller aux toilettes. Tu peux ignorer ces signaux pendant un certain temps, mais lorsque ta vessie contiendra à peu près 250 ml d'urine, les signaux se feront de plus en plus insistants et tu te mettras à t'agiter et à sautiller parce que tu ne pourras plus *te retenir* !

**L'ÉVACUATION** Une ouverture dans le bas de la vessie mène à un fin tuyau d'évacuation appelé l'urètre. Normalement, l'ouverture de la vessie à l'urètre est hermétiquement fermée par un anneau de muscles ou sphincter. Lorsque tu veux uriner, tu peux relâcher ces muscles et laisser sortir cette eau usée. Aaah...

**DES DÉGÂTS !** Naturellement, il y a eu une époque où tu ne pouvais pas te retenir et ça causait des dégâts – quand tu étais bébé. Les nouveau-nés n'ont aucune idée de la façon dont ils peuvent contrôler les muscles de leur vessie ou de leur rectum et doivent l'apprendre graduellement. Heureusement qu'il y a les couches !

**Tes reins filtrent environ 150 litres de sang par jour – ce qui équivaut à traiter tout ton sang 30 fois !**

étape 7

# Renforcer et solidifier

Si tu utilises beaucoup un muscle, les fibres qui le composent deviennent plus épaisses et le muscle grossit.

## Puissance musculaire

Maintenant que la plupart des morceaux sont en place, tu peux commencer à envelopper le corps de muscles. Ceux-ci soutiendront et protégeront les os et les organes, et rendront ton humain capable de mouvement !

## Dedans comme dehors

La plupart de tes organes ont des muscles qui les aident à fonctionner – les muscles qui font battre le cœur, les muscles qui font descendre les aliments dans les intestins, et ainsi de suite. Les muscles du cœur sont appelés muscles cardiaques et les muscles des autres organes, muscles lisses. Ils sont tous contrôlés par le cerveau sans que tu aies à y penser. Autrement dit, ils fonctionnent automatiquement.

En revanche, les muscles qui couvrent les os et les organes – les muscles squelettiques – travaillent quand tu décides de faire quelque chose comme te pencher, sauter, faire la roue ou te tenir sur la tête.

**ATTACHE-LES** Un humain est couvert de muscles des pieds à la tête, 650 muscles en tout. Les attacher devrait te tenir pas mal occupé. La plupart d'entre eux s'étendent de l'extrémité d'un os, le long de sa surface, et s'attachent à un autre os. Utilise les cordons qui dépassent des extrémités des muscles – les tendons – pour les attacher. Les tendons peuvent être assez longs. Par exemple, cinq longs tendons relient les doigts aux muscles de l'avant-bras et cinq autres relient les orteils aux muscles du bas de la jambe.

Certains muscles sont gros, comme ceux qui soutiennent le dos, ou les quadriceps à l'avant de la cuisse. D'autres sont petits et difficiles à manipuler. Oui, tu as deviné, les mains et les pieds vont à nouveau te demander beaucoup de travail ! Il y a près de 40 muscles qui relient le poignet, les doigts et le pouce seulement.

## ET QUE ÇA SAUTE !

Quand tu décides de bouger, ton cerveau dit aux muscles concernés de se contracter. Cela tire les os dans une direction. Quand tu relâches la contraction, les os peuvent revenir dans leur position initiale.

## UN TRAVAIL D'ÉQUIPE

Les muscles travaillent souvent par paires. Pour plier le poing vers l'épaule, par exemple, tu dois contracter le gros muscle à l'avant du bras, le biceps brachii, tout en détendant le muscle à l'arrière du bras, le triceps brachii. Et pour redescendre ton poing et allonger le bras, tu détends le biceps tout en contractant le triceps.

Essaie et entraîne ton humain à le faire. C'est en forgeant qu'on devient forgeron !

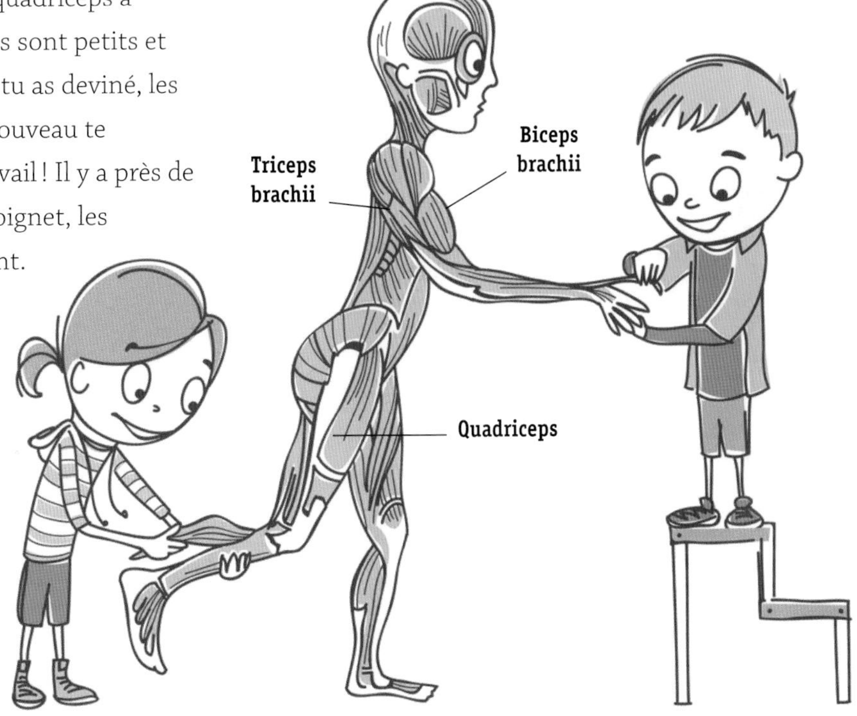

## PAS À PAS

La plupart des mouvements sont beaucoup plus compliqués que cela. Prends la marche, par exemple. Ça semble facile, n'est-ce pas – il suffit tout simplement de mettre un pied devant l'autre. Mais c'est parce que tu t'es beaucoup exercé. La marche requiert environ 200 muscles et un grand nombre de mouvements complexes. Premièrement, les muscles de la hanche droite (par exemple) soulèvent la jambe du sol et la propulsent en avant. En même temps, les muscles de l'autre jambe se contractent pour soutenir tout le poids du corps. Lorsque la première jambe se balance vers l'avant, les muscles de la cuisse aident à l'allonger, et ceux du mollet et du pied à soulever le pied du sol. Ensuite, lorsque le pied se pose par terre, les muscles du mollet et les longs ischio-jambiers à l'arrière de la cuisse de l'autre jambe soulèvent le talon. Les muscles de la plante de ce pied poussent vers le haut, tandis que la hanche entame le pas suivant.

## BEAUCOUP DE CHOSES À APPRENDRE

Dis donc ! S'il fallait que tu penses à tout ça chaque fois que tu veux faire un pas, tu n'irais probablement jamais nulle part – ou tu ne voudrais jamais aller nulle part. Heureusement, tu as travaillé pendant des mois pour maîtriser tout cela quand tu étais bébé et tu as commencé à marcher – d'abord instable sur tes jambes, tu te frappais contre les meubles, tu tombais à la renverse et tu pleurais. Maintenant, tu le fais sans y penser. Ton humain, lui, a encore beaucoup de choses à apprendre.

**Tu fais probablement environ 10 000 pas chaque jour.**

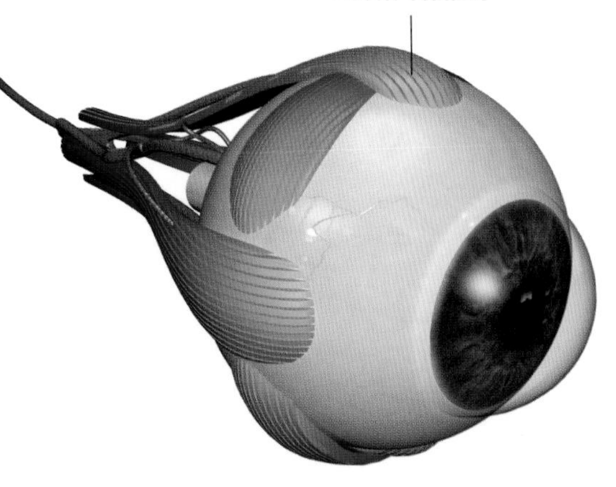


**MINI MOUVEMENTS** La plupart des autres mouvements sont tout aussi compliqués, même les plus petits. Il y a plus de 30 muscles dans le visage et, pour sourire, il faut en faire travailler au moins 12. Allez, souris tout de suite ! Certains de ces petits muscles doivent travailler très fort. Par exemple, plusieurs d'entre eux font bouger tes paupières de haut en bas et de bas en haut pour répandre les larmes sur tes yeux et les garder hydratés et propres – c'est ce qu'on appelle le clignement des yeux. Les paupières le font environ 10 fois par minute – ou 14 400 fois par jour ! En moyenne, un humain clignera des yeux environ 400 millions de fois pendant sa vie. Fiou ! Heureusement que les paupières peuvent se reposer la nuit.

Les six muscles en forme de cordon qui font bouger les yeux sont encore plus travaillants. Pense à tout ce qu'ils font en ce moment même, pendant que tu suis les mots et les lignes sur la page !

**Au moins 12 muscles faciaux différents sont sollicités pour que tu puisses sourire.**

## ÉPREUVE POUR LES NERFS

Les médecins font parfois asseoir leurs patients les jambes pendantes et leur frappent les genoux avec un marteau. Pas pour les punir ou les forcer à payer leurs comptes, mais pour tester leurs fonctions nerveuse et musculaire. Si le patient est en santé, le coup enverra un signal à la moelle épinière de contracter le muscle de la cuisse, ce qui propulse la jambe vers le haut. Si cela ne se produit pas, cela peut être le signe d'une lésion au nerf.

# Choisis les revêtements et les caractéristiques

**ELLE TE VA COMME UN GANT** À ce stade-ci, ton humain doit avoir hâte de sortir et de voir le monde. Mais avant, tu dois enrober le tout d'une belle enveloppe de peau et ajouter d'autres éléments de protection, comme les ongles et les cheveux. La peau est le plus gros organe du corps et elle est aussi étonnamment lourde – la peau d'un adulte pèse environ 5 kilos. Fais attention en la soulevant. La peau devrait couvrir toute la surface de ton corps, à l'exception de quelques ouvertures comme la bouche et les yeux, bien sûr.

## COULEURS ET MOTIFS

Il existe plusieurs couleurs de peau et la nuance précise varie en fonction de la quantité de mélanine dans la peau. La mélanine est un pigment qui absorbe les rayons dommageables du soleil. En général, les personnes qui vivent dans des pays chauds ont plus de mélanine et, par conséquent, la peau plus foncée.

Les peaux plus pâles ont parfois des motifs distinctifs appelés taches de rousseur. Il s'agit de points où la mélanine est concentrée. Elles disparaissent souvent à l'âge adulte.

## BRÛLANT !

Exposer la peau au soleil fait augmenter la quantité de mélanine qu'elle contient, la rendant plus foncée ou bronzée. Mais si tu t'exposes trop longtemps au soleil, tu pourrais attraper un coup de soleil – ouch ! – et causer des lésions durables à ta peau.

**De la peau morte tombe constamment de ton corps. À chaque minute, tu perds des dizaines de milliers de petits morceaux de peau ou squames, et tu peux perdre 50 kilos de peau pendant ta vie – soit le poids moyen d'un ado de 14 ans !**

## SIGNES DISTINCTIFS

Ajuste la peau sur les muscles et lisse-la bien. Ne t'inquiète pas s'il reste quelques plis aux articulations. Tout le monde en a, même les bébés.

Tu remarqueras que le bout des doigts et des orteils est décoré de motifs spiralés en relief et en creux. Ces motifs aideront ton humain à saisir des objets. Ils sont aussi une bonne façon de l'identifier, car les empreintes et les motifs sont différents d'une personne à l'autre.

**Des millions de bactéries vivent à la surface de ta peau.**

## UNE DURE À CUIRE

Elle est assez épaisse par endroits, cette enveloppe de peau, pas vrai ? Surtout sur la paume des mains et la plante des pieds. Et elle est bien plus complexe que tu ne le penses. La mince couche extérieure ou épiderme est une usine très productive qui fabrique constamment des millions de cellules cutanées. Celles-ci se forment sur la face inférieure de l'épiderme et sont tout le temps poussées vers le haut. Lorsqu'elles atteignent la surface, elles sont mortes – mais dures.

Sous l'épiderme se trouve une couche épaisse, le derme, qui est parcouru de milliers de minuscules vaisseaux sanguins, nerfs, glandes sudoripares et poils. Sous le derme, il y a l'hypoderme, une couche de gras gélatineux.

## PROTECTION ANTICHOCS

Foncée ou pâle, bronzée ou rousselée, la peau accomplit tout un travail de protection. Non seulement elle protège du soleil, mais elle est imperméable, lavable, robuste – elle peut résister à de gros coups et on peut la tordre et la tirer (pas trop fort quand même !) sans lui causer de dommages durables. Même quand on la coupe profondément, la peau cicatrise remarquablement vite.

## Couche anti-poussières

La peau bloque aussi les bactéries pathogènes qui pourraient entraver les processus du corps ou te rendre malade. Pas que ta peau soit une zone exempte de bactéries. Au contraire, des millions de bactéries vivent sur la surface extérieure de ta peau en tout temps – au moins 10 millions par centimètre carré ! Yerk !

Pas de panique ! La plupart de ces bactéries sont de bonnes bactéries qui empêchent les mauvaises bactéries de t'envahir. As-tu déjà eu autant d'amis ? Cool, non ?

## Contrôle de la température

En plus de sentir la chaleur et le froid, la peau aide à contrôler la température du corps. Tu as chaud ? Aussitôt, les vaisseaux sanguins de ta peau s'élargiront pour laisser échapper la chaleur et les glandes sudoripares libéreront de la sueur (composée à 99 pour cent d'eau) qui s'évapore de la surface de la peau et la rafraîchit.

Quand tu as froid, ton corps fait bouger tes muscles pour produire de la chaleur – tu

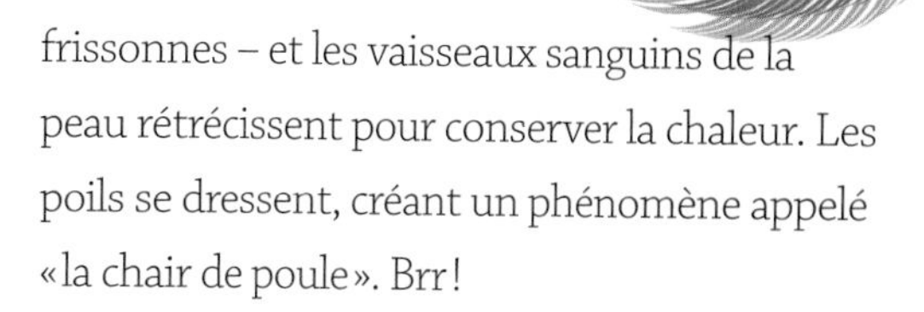

frissonnes – et les vaisseaux sanguins de la peau rétrécissent pour conserver la chaleur. Les poils se dressent, créant un phénomène appelé « la chair de poule ». Brr !

## Ça gratte et ça pique

La peau est un organe sensible qui perçoit toutes sortes de choses – d'agréables caresses, des chatouillis, des démangeaisons. Et quand ça te pique, tu dois être capable de te gratter. Les ongles sont les meilleurs outils pour le faire. Mais ce n'est pas leur seule fonction. Ils protègent le bout des doigts et des orteils et t'aident à saisir de petits objets. Une poche sous la peau à la base de chaque ongle produit constamment de nouvelles cellules. Comme les cellules de la peau, quand ces cellules voient la lumière du jour elles sont déjà mortes et dures – dans ce cas-ci, complètement solidifiées. Les ongles poussent d'environ quatre centimètres par année, c'est pourquoi il faut les couper. Ne te ronge pas les ongles pour autant !

**Les ongles de la main que tu utilises le plus souvent poussent plus vite et celui du majeur plus vite que tous les autres. Personne ne sait pourquoi.**

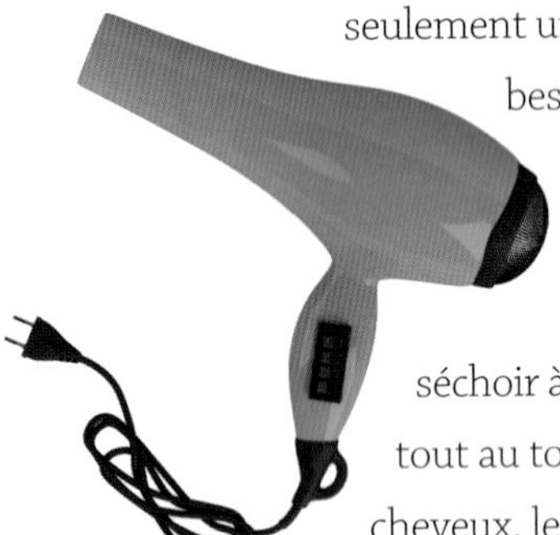

## PAS DE QUOI COUPER LES CHEVEUX EN QUATRE

Les cheveux sont une chose étonnante. Mais à quoi servent-ils (en plus de te donner du style) et de quoi sont-ils composés ? Eh bien, les cheveux sur ta tête fournissent une protection supplémentaire contre le soleil à la partie la plus exposée et la plus vitale du corps, et ils aident à conserver la chaleur.

Comme la peau et les ongles, les cheveux sont composés de cellules mortes. Les cellules des cheveux se développent au fond de minuscules poches dans la peau, appelées follicules. Elles sont poussées vers le haut par les nouvelles cellules, formant ainsi une longue mèche. Les glandes attachées aux follicules enduisent les cheveux d'huile ou sébum, pour les rendre souples et doux.

## LE COURONNEMENT DE TON TRAVAIL

Des poils vont pousser sur tout le corps de ton humain, mais ils seront plus fournis sur la tête. Comment sont ses cheveux ? Foncés ou blonds ? Fournis et ondulés ou fins et raides ? Vraiment cool ou seulement un peu bizarres ? Pas besoin de t'inquiéter, si sa coiffure ne te plaît pas, tu peux toujours sortir tes ciseaux, du gel et un séchoir à cheveux et la changer du tout au tout. Tu peux lui couper les cheveux, les friser, les aplatir ou les lui dresser sur la tête. Tu peux même les teindre, si tu veux.

## COULEUR ET STYLE

Tu peux te teindre les cheveux en vert ou en pourpre, mais ta couleur naturelle est déterminée par tes gènes, ces instructions détaillées entreposées dans ton ADN, et elle est créée par la mélanine, la substance qui

## CHUTE FOLLICULAIRE

Regarde ton père, ton oncle ou un homme plus âgé de ton entourage. Ses cheveux grisonnent-ils ou sont-ils blancs ? Ses cheveux sont-ils plus clairsemés ou est-il complètement chauve ? En vieillissant, les follicules cessent de produire de la mélanine et les cheveux perdent leur couleur. Et les hommes, surtout, commencent à perdre leurs cheveux. Combien en perdent-ils ? Cela dépend de leurs gènes.

donne aussi sa couleur à la peau. L'épaisseur et le style de tes cheveux dépendent de tes follicules. Plus ils sont larges, plus tes cheveux sont épais. Les follicules ronds produisent des cheveux raides, les follicules ovales produisent des cheveux ondulés et les follicules étroits produisent des cheveux frisés.

**DES POILS UTILES** Il y a aussi des poils bien spéciaux qui poussent à d'autres endroits. Des poils épais poussent à l'intérieur du nez pour emprisonner les germes et la poussière. Les cils qui bordent les paupières empêchent la saleté de pénétrer dans les yeux. En plus, les hommes ont de drôles de poils faciaux qui peuvent prendre la forme de moustaches et de barbes rigolotes.

Que tu sois une fille ou un garçon, tu as une abondance de cheveux et de poils. Mais tu es loin d'en avoir suffisamment pour qu'ils te gardent entièrement au chaud. Par conséquent, avant que ton humain ne se mette à avoir froid, ou à se sentir bien embarrassé, il est temps que tu lui choisisses des vêtements – qui ont du style, bien entendu !

**Les cheveux poussent d'environ 1 cm par mois. Tu peux perdre jusqu'à 100 cheveux par jour mais, heureusement, tu en as environ 100 000.**

étape 9

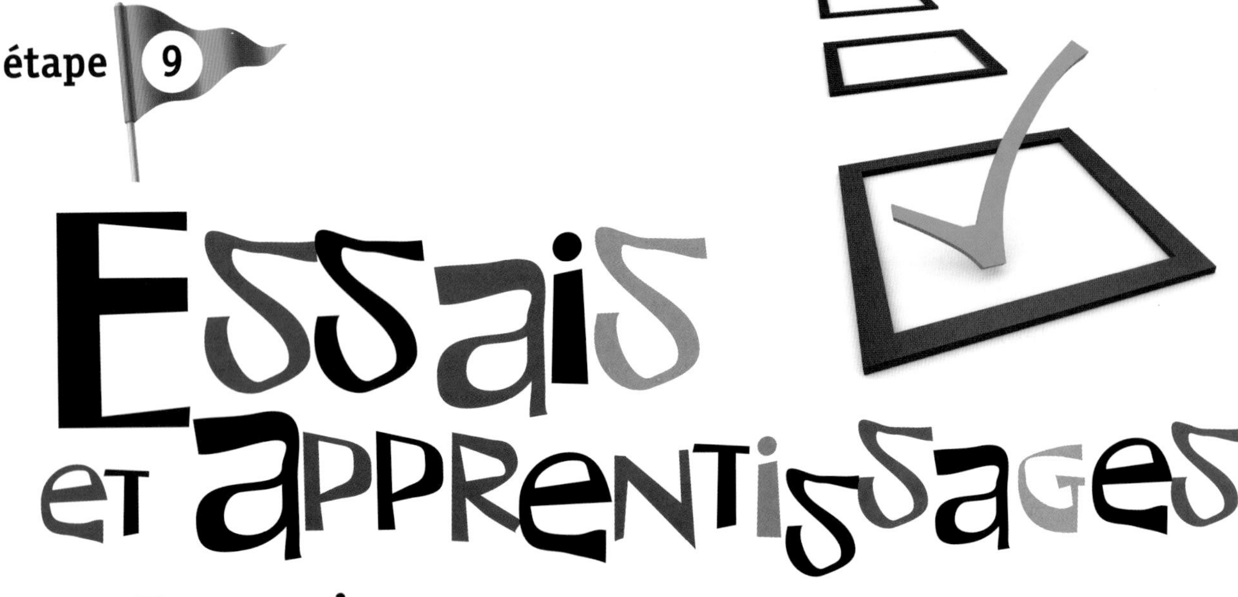

# Essais et apprentissages

**C'EST HUMAIN !** Ton humain est presque entier et, si tout a marché comme prévu, il te ressemblera et bougera comme toi. Bientôt, avec un peu d'aide, il apprendra à faire tout ce que tu sais faire – et peut-être même plus !

Un humain peut faire des choses que seules de rares créatures peuvent faire, et parfois même aucune autre. Vérifie par exemple si ton humain peut maîtriser ceci : Marcher sur deux jambes ? Ça semble bien aller. Se toucher le pouce et le majeur de la même main ? Pas de problème. Tu as vraiment fabriqué un humain. Car même si ces deux choses semblent ridiculement simples, aucun autre animal n'en est capable.

## LE RIRE ET LES LARMES

Qu'en est-il du rire ? Aucune autre créature ne rit comme nous rions. Raconte une blague à ton humain, fais des grimaces ou essaie de le chatouiller. As-tu entendu un grand éclat de rire, un rire étouffé ou même un gloussement ? Excellent.

C'est la même chose pour les larmes. Les autres animaux se lamentent et émettent des sons tristes, mais aucun ne pleure comme les humains. Lorsque nous sommes tristes ou très heureux, des larmes – produites constamment par des glandes dans nos yeux pour les garder humides – débordent et nous coulent sur les joues.

## QU'EST-CE QU'IL Y A ?

Les humains ont d'autres façons d'exprimer leurs émotions. Nous pouvons gesticuler avec les mains, par exemple – brandir le poing pour montrer notre colère ou croiser les bras dans

un geste de défi. Et nous utilisons nos petits muscles faciaux pour donner à notre visage une foule d'expressions. Nous levons les sourcils pour exprimer la surprise, les fronçons si nous sommes mécontents ou en colère, et pinçons le nez pour montrer notre dégoût. Une personne peut même se mettre les yeux croches et tirer la langue pour faire semblant qu'elle est folle ! Allez, montre quelques expressions faciales à ton humain – c'est une habileté utile !

**RÉFLÉCHIR ET CHERCHER À COMPRENDRE** Graduellement, ton humain se mettra à penser par lui-même. Il saisira les causes et les effets et comprendra comment les choses fonctionnent. Il se souviendra même de diverses choses.

La mémoire est vitale pour comprendre le monde et apprendre à vivre en société. Le cerveau humain stocke deux grands types de souvenirs : les souvenirs à court terme et à long terme.

Les souvenirs à court terme sont les images et l'information dont nous avons besoin pour nous occuper de ce que nous faisons dans le moment présent et le futur immédiat – où tu as mis ton sac d'école, par exemple. Nous les oublions rapidement. Les souvenirs à long terme sont des impressions et des faits qui nous restent en mémoire, soit parce que nous en avons fait l'expérience à répétition ou parce qu'ils sont importants pour nous. Comme ta première balade en montagnes russes – inoubliablement exaltante !

**N'oublie pas !**

## PARLER

La combinaison des processus de pensée et de la mémoire rendra certainement ton humain meilleur aux jeux de société. Elle l'aidera à acquérir une foule d'autres habiletés. L'une d'entre elles sera la parole – parler est une autre chose que seuls les humains peuvent faire.

Cordes vocales

Quand tu décides de parler, ton cerveau indique à tes muscles respiratoires de pousser de l'air des poumons dans le larynx, ou boîte vocale, un tube de cartilage entre la gorge et la trachée. Cela crée un son brut.

Simultanément, ton cerveau indique à d'autres muscles d'ouvrir et de fermer tes cordes vocales – deux membranes à l'extrémité supérieure du larynx – pour varier le ton de la voix. Essaie : émets un son aigu, puis un son grave.

## CHANTER

D'autres muscles encore font bouger ta bouche, tes lèvres et ta langue pour produire les sons que nous associons à des lettres et à des mots. Comme c'est une opération complexe et qu'il t'a fallu de nombreux mois pour apprendre à la maîtriser, sois patient avec ton humain ! Après, vous pourrez chanter !

## LES CONNEXIONS

Une fois que son cerveau s'est mis à fonctionner, il n'y a pas de limite à ce que ton humain peut apprendre. En répétant des gestes et des pensées plusieurs fois, un humain

**Les bébés dorment jusqu'à 18 heures par jour, tandis que les enfants ont besoin de 10 ou 11 heures de sommeil et les adultes d'environ 8 heures. Certaines personnes âgées dorment seulement 5 ou 6 heures par nuit.**

renforce les connexions dans son cerveau qui lui permettront de faire des choses presque automatiquement, comme lire, jouer d'un instrument de musique, parler une autre langue ou jongler avec des torches allumées sans s'enflammer lui-même.

**REFAIRE LE PLEIN** Comme nous tous, cependant, ton humain aura besoin de dormir régulièrement. La raison exacte pour laquelle les humains dorment autant – nous dormons durant environ le tiers de notre vie – n'est pas parfaitement comprise. Il est toutefois clair que le sommeil permet aux muscles et au cerveau de se remettre des activités de la journée.

Quand tu dors, ton cerveau demeure actif pour que tu puisses continuer à respirer et changer de position de temps en temps. Pendant les périodes de sommeil profond, c'est à peu près tout ce qu'il fait. En revanche, pendant le sommeil léger – appelé sommeil paradoxal –, il s'amuse à faire des mauvais coups, concoctant des rêves bizarres et à l'occasion – ahh ! – des cauchemars terrifiants. On pense que les rêves pourraient être une façon pour le cerveau de faire un tri et de donner un sens aux événements de la journée. Pourtant, les rêves ne tiennent généralement pas debout ! Allez comprendre !

## PILOTE AUTOMATIQUE

Il ne faudra pas beaucoup de temps avant que ton humain puisse faire presque tout lui-même – comme attacher ses lacets, t'aider à faire tes devoirs, te traîner jusqu'à la table de ping-pong ou sortir les ordures. En fin de compte, il pourrait même partir de son côté et se faire d'autres amis, ce qui pourrait être un peu triste pour toi (sniff !). Et, à un certain point, il pourrait décider de fabriquer lui-même des humains.

Naturellement, dans la vraie vie, les humains ne viennent pas en trousses pour être assemblés morceau par morceau. La réalité est beaucoup plus stupéfiante.

**TOI EN MINIATURE** Souviens-toi de cette cellule unique qui a tout commencé. (Si tu ne t'en souviens pas, retourne à la page 9 pour y jeter un rapide coup d'œil.) Elle s'est formée à partir de deux demi-cellules, une demi-cellule fournie par ta mère et une demi-cellule fournie par ton père. Dans le corps de ta mère, dans un organe situé au-dessus de la vessie et appelé l'utérus, cette cellule unique s'est divisée et redivisée, fabriquant des millions de cellules. Au bout de quelques semaines, ces cellules ont formé des tissus et de la peau, qui sont par la suite devenus une minuscule forme humaine appelée un embryon – toi !

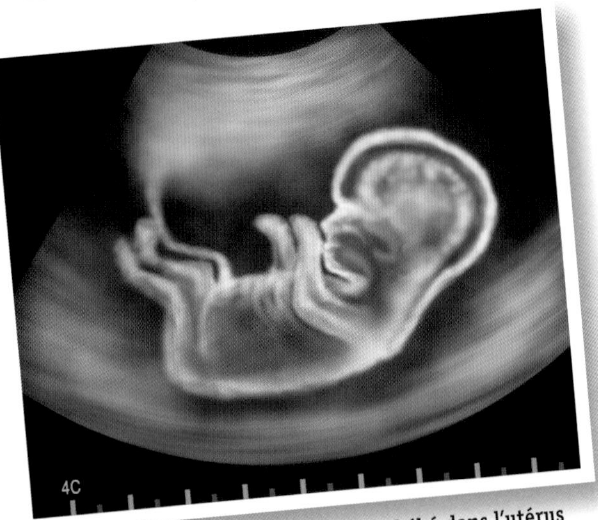


**Échographie d'un bébé dans l'utérus**

Au bout de deux mois, tu ne dépassais toujours pas la taille d'une noix de Grenoble, mais tu avais déjà toutes tes parties et tous tes organes principaux, et les médecins commençaient à t'appeler un fœtus (bien que ta famille te donnait sûrement des noms plus mignons). Protégé et couvé par ta mère, tu t'es vite développé pendant encore sept mois puis – tambours et trompettes ! – tu es né. Une journée mémorable !

## IL FAUT APPRENDRE

Pendant les premiers mois de ta vie, tu ne pouvais à peu près rien faire par toi-même. Ta famille te nourrissait, te changeait, t'aidait à t'asseoir et te montrait à marcher et à parler – un peu comme ce que tu as fait avec ton humain. Mais tu as fini par apprendre et, peu après, tu te traînais à quatre pattes en babillant devant toute personne et toute chose. Au bout d'un certain temps, les gens comprenaient même ce que tu disais.

## IL Y A BEAUCOUP DE CHOSES À APPRENDRE

Plus tard, tu as appris à jouer à des jeux, à faire des choses, à écrire et à lire. Et te voilà maintenant en train de te servir de tes habiletés pour lire ce livre, fabriquer un humain et apprendre plein de choses sur ton corps.

Comme ton nouvel humain, tu as encore beaucoup de choses à apprendre. Et ton corps continuera de changer : tu deviendras plus grand, plus vieux et – naturellement ! – plus sage. Ayant assemblé un humain, cependant, tu as déjà une excellente compréhension de la façon dont le corps humain fonctionne et de tout ce qu'il peut faire. En fait, maintenant, tu sais sans l'ombre d'un doute que tu es une véritable merveille – une créature miraculeuse. Tires-en le maximum !

étape 10

# Prendre soin d'un humain

**UTILE À SAVOIR** Ton humain finira par bien s'occuper de lui-même, tout comme ton propre corps le fait. Pour le garder en super forme, cependant, tu devras t'assurer de lui procurer de la nourriture saine, beaucoup de repos et d'exercice et des soins d'entretien réguliers.

Pour fonctionner de façon optimale, un humain n'a pas besoin que de bon vieux combustible, mais aussi d'aliments riches en substances nutritives, en vitamines et en minéraux, comme des fruits et des légumes frais. Des aliments sucrés et gras devraient lui être donnés avec modération. Il faut aussi le remplir d'eau régulièrement.

**ENTRETIEN ET NETTOYAGE** Assure-toi que ton humain dort beaucoup. Autrement, son cerveau et ses systèmes organiques fonctionneront moins efficacement ; il aura des trous de mémoire, fera des erreurs et aura des accidents.

Il est essentiel de se laver quotidiennement pour limiter la propagation de bactéries hostiles et de se brosser les dents deux fois par jour pour prévenir les caries. Il faut aussi faire de l'exercice pour garder toutes ses parties en bon état de fonctionnement et limiter l'accumulation de graisse corporelle. Par conséquent, cours, saute, danse, grimpe, pédale et rebondis sur un trampoline. Découvre tout ce qu'un corps humain peut faire !

**DÉPANNAGE** Peu importe combien tu te protèges, te polis et te dorlotes, tu connaîtras des problèmes à l'occasion. Tous les humains ont des accidents de temps en temps, mais, heureusement, le corps humain peut se remettre de blessures mineures.

**Ton humain aura besoin d'au moins 500 kg de nourriture par année (le poids de dix ados de 14 ans). Pas bon marché à entretenir !**

Une grosse « prune » peut faire saigner les vaisseaux sanguins sous la peau, ce qui entraînera la formation d'une ecchymose douloureuse, mais celle-ci disparaîtra sans traitement. Les éraflures et les petites coupures guériront rapidement, car des plaquettes feront d'abord coaguler le sang pour qu'une croûte se forme avant que la peau ne se régénère.

## PRÉCAUTIONS

Au cours des premiers stades, des examens médicaux sont recommandés pour s'assurer que tout est en état de fonctionner. Les humains peuvent recevoir des injections appelées des vaccins pour les protéger contre un certain nombre de maladies graves. Tu devrais aussi consulter un dentiste à intervalles réguliers pour t'assurer que tes dents poussent correctement et faire corriger tout problème.

Bien que les globules blancs soient constamment à l'affût de bactéries et de virus, des maladies peuvent parfois frapper. Cependant, le corps est normalement en mesure de se remettre d'infections courantes comme des maux d'estomac et des rhumes. Il lui faut simplement beaucoup de repos et de grandes quantités de liquides.

**Les virus sont de minuscules particules qui envahissent les cellules et s'en servent pour se multiplier. Ils endommagent les cellules et causent des maladies.**

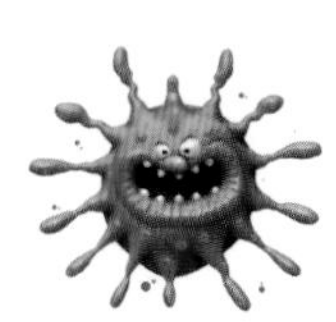

## RÉPARATIONS ESSENTIELLES

Si un problème semble plus grave, consulte un médecin pour qu'il te traite et te répare. Heureusement, pour lutter contre les maladies, les chercheurs ont mis au point toute une gamme de médicaments, y compris des antibiotiques. Ces derniers détruisent des microbes dangereux qui pourraient autrement tuer les humains.

Si ton médecin n'est pas certain de la cause d'un problème, il te fera subir certains examens. Les analyses sanguines permettent d'examiner un échantillon de sang pour déterminer quelles sortes de bactéries ou de virus sont présentes. Une radiographie permet de voir à travers la peau pour examiner les os et les organes, tandis que d'autres systèmes d'imagerie, comme les échographies et les scanographies par résonance magnétique, permettent d'obtenir des images plus détaillées de l'intérieur du corps. Enfin, de minuscules caméras peuvent même filmer l'intérieur de l'œsophage ou des intestins. Grâce à toute cette information, un médecin peut régler la plupart des problèmes.

## URGENCES

À l'occasion, cependant, ton humain peut avoir besoin de réparations urgentes ou majeures. Une coupure longue et profonde peut nécessiter des points de suture pour se cicatriser. Un os fracturé doit être remis en place et immobilisé à l'aide d'un plâtre, mais le corps, super efficace, fera tout le reste. Tout d'abord, du sang remplira la fracture, puis du cartilage apparaîtra à cet endroit et, au bout d'environ six semaines, de l'os nouveau l'aura remplacé. Phénoménal !

Dans certains cas, un médecin peut devoir ouvrir un humain pour réparer quelque chose. Heureusement, grâce aux merveilles de l'anesthésie moderne, l'humain ne sentira rien et il pourra dormir pendant l'intervention.

## PIÈCES DE RECHANGE

Et si une partie du corps ne peut pas être réparée, ne crains rien. Nombre d'entre elles peuvent maintenant être remplacées. Des articulations grinçantes dans les hanches et les genoux sont remplacées par des articulations en métal ou en plastique. Des membres artificiels peuvent remplacer des bras et des jambes endommagés. Enfin, des organes majeurs, comme le foie, le rein ou même le cœur, peuvent être transplantés d'autres humains.

## GARANTIE À VIE

Si les instructions ci-dessus sont étroitement suivies, un corps humain peut procurer à la personne qui l'habite du plaisir et de l'agrément pendant de nombreuses décennies. Qui sait les choses extraordinaires que ton corps fera ?

Bien entendu, certaines pièces de ton corps finiront par s'user, et ton corps cessera un jour de fonctionner. Mais si tu t'en occupes bien – si tu le nourris, l'entretiens, en prends soin, et si tu l'aimes – il *durera* toute une vie. C'est garanti.

# DES FAITS STUPÉFIANTS

**La plupart des chiffres qui suivent représentent des moyennes.**

**Modèle standard**

Taille moyenne d'un adulte : **175 cm**
Poids moyen d'un adulte : **72 kg**

**Cellules**

Nombre de cellules dans le corps humain : **75 billions**
Nombre de nouvelles cellules produites chaque jour : **300 milliards**
Nombre de chromosomes dans chaque cellule : **46**

**Squelette**

Nombre d'os : **206**
Nombre d'articulations : **environ 400**
Nombre d'os dans les mains et les pieds : **106**
Nombre d'os dans le crâne : **28**

**Poste de commande**

Longueur des principaux vaisseaux nerveux : **70 km**
Vitesse de transmission des messages des nerfs au cerveau : **jusqu'à 360 km à l'heure**
Nombre de capteurs de lumière dans l'œil : **125 millions**
Nombre d'odeurs que l'humain peut distinguer : **10 000**
Nombre de papilles gustatives sur la langue : **10 000**

**Approvisionnement en sang**

Longueur de tous les vaisseaux sanguins : **100 000 km**
Nombre de capillaires : **300 millions**
Durée de vie d'un globule rouge : **4 mois**
Temps que met un globule rouge pour faire le tour du corps : **60 secondes**
Globules rouges par litre de sang : **4 billions**
Volume de sang (d'un enfant) : **5 litres**
Volume de sang (d'un adulte) : **6 litres**

**Usine d'alimentation**

Nombre de respirations par jour : **23 000**
Nombre de battements cardiaques par jour (d'un adulte) : **100 000**
Nombre de battements cardiaques par jour (d'un enfant) : **130 000**
Longueur des voies aériennes dans les poumons : **2 400 km**
Superficie des voies aériennes dans les poumons : **70 m$^2$**
Vitesse d'un éternuement : **60 à 100 km à l'heure (le plus rapide jamais enregistré est de 167 km à l'heure)**

**Système d'alimentation en carburant**

Longueur du système digestif : **9 m**
Longueur de l'intestin grêle : **5 à 6 m**
Quantité de salive produite chaque jour : **1 litre**
Temps requis pour digérer un repas : **1 à 3 jours**

**Plomberie**

Pourcentage du poids corporel qui est de l'eau : **50 à 60 %**
Pourcentage du cerveau qui est de l'eau : **75 %**
Pourcentage des poumons qui est de l'eau : **90 %**
Volume de sang filtré par les reins chaque jour : **150 litres**
Longueur de chaque uretère : **30 cm**

**Muscles**

Nombre de muscles squelettiques : **environ 650**
Nombre de muscles dans la main : **40**
Nombre de muscles dans la langue : **16**
Nombre de muscles nécessaires pour faire un pas : **200**
Nombre de clignements des yeux chaque jour : **14 400**
Nombre de clignements des yeux au cours d'une vie : **400 millions**
Nombre de changements de position pendant le sommeil au cours d'une nuit : **45**

**Peau et cheveux**

Poids de la peau : **5 kg**
Superficie couverte par la peau : **1,6 à 2 m$^2$**
Volume de squames qui se détachent de la peau au cours d'une vie : **50 kg**
Nombre de cheveux sur la tête : **100 000**
Durée de vie d'un cheveu : **3 à 7 ans**
Cheveux perdus chaque jour : **60 à 100**

**Entretien**

Eau requise chaque année : **au moins 900 litres**
Nourriture requise chaque année : **500 kg**

# INDEX

Textes : Scott Forbes
Illustrations : Jean Camden, Hackett Films

Infographie : Johanne Lemay
Traduction : Paulette Vanier
Correction : Élyse-Andrée Héroux et Brigitte Lépine

**RÉFÉRENCES DES ILLUSTRATIONS**

JEAN CAMDEN, HACKETT FILMS: COUVERTURE: 1, 3, 4 (GAUCHE), 6, 8 (DROITE), 9 (HAUT), 10 (HAUT GAUCHE, BAS GAUCHE), 11 (BAS), 12 (BAS DROITE), 13 (HAUT DROITE), 14 (HAUT DROITE), 15, 16 (BAS), 17 (HAUT), 19 (BAS), 20 (HAUT), 21 (HAUT DROITE), 22 (HAUT), 23 (BAS), 24 (BAS), 26 (BAS), 28 (BAS), 29 (HAUT DROITE), 30 (HAUT DROITE), 31 (GAUCHE), 32 (BAS DROITE), 33 (HAUT DROITE), 34 (HAUT), 35 (HAUT), 36–37 (BAS), 39, 40 (BAS), 41 (BAS), 42 (GAUCHE), 43 (BAS), 44 (HAUT), 45 (BAS GAUCHE), 46 (HAUT), 47 (BAS), 48 (HAUT), 50 (HAUT), 51 (DROITE), 53 (HAUT, BAS GAUCHE), 54 (BAS), 55 (HAUT), 56 (HAUT), 57 (BAS), 59 (HAUT), 60 (GAUCHE), 61 (BAS)

SHUTTERSTOCK : TOUTES LES AUTRES ILLUSTRATIONSS

**Catalogage avant publication de Bibliothèque et Archives nationales du Québec et Bibliothèque et Archives Canada**

Forbes, Scott

[How to make a human. Français]
Et si on créait un corps humain?
Traduction de : How to make a human.
Comprend un index.
Pour les jeunes.

ISBN 978-2-924025-52-9

1. Corps humain - Ouvrages pour la jeunesse. I. Klepac, Ariana. II. Titre. III. Titre : How to make a human. Français.

QP37.F6714 2013 j612 C2013-940992-0

09-13



L'ouvrage original a été publié
par Red Lemon Press Limited
sous le titre *How to Make a Human*

Dépôt légal : 2013
Bibliothèque et Archives nationales du Québec

ISBN 978-2-924025-52-9

Imprimé en Chine

**SUIVEZ-NOUS SUR LE WEB**

Consultez nos sites Internet et inscrivez-vous à l'infolettre pour rester informé en tout temps de nos publications et de nos oncours en ligne. Et croisez aussi vos auteurs préférés et notre équipe sur nos blogues !

EDITIONS-PETITHOMME.COM
EDITIONS-HOMME.COM
EDITIONS-JOUR.COM
EDITIONS-LAGRIFFE.COM

**À Ruari, Jamie, Lara, Hayden, Minnie Bo, Mal, Max, Frankie, Vinnie et Lola**

**Auteur et rédacteur en chef, Scott Forbes** travaille depuis plus de vingt ans dans le monde de l'édition au Royaume-Uni et en Australie. Il est l'auteur de *The Reader's Digest Children's Atlas of the World* et a contribué à la rédaction de nombreux autres livres sur l'histoire naturelle, la science et le voyage, ainsi que d'ouvrages de référence.

DISTRIBUTEUR EXCLUSIF :

**Pour le Canada et les États-Unis :**
MESSAGERIES ADP*
2315, rue de la Province
Longueuil, Québec J4G 1G4
Téléphone : 450-640-1237
Télécopieur : 450-674-6237
Internet : www.messageries-adp.com
* filiale du Groupe Sogides inc.,
filiale de Québecor Média inc.

Gouvernement du Québec – Programme de crédit d'impôt pour l'édition de livres – Gestion SODEC – www.sodec.gouv.qc.ca

L'Éditeur bénéficie du soutien de la Société de développement des entreprises culturelles du Québec pour son programme d'édition.

Nous remercions le Conseil des Arts du Canada de l'aide accordée à notre programme de publication.

Nous remercions le gouvernement du Canada de son soutien financier pour nos activités de traduction dans le cadre du Programme national de traduction pour l'édition du livre.

Nous reconnaissons l'aide financière du gouvernement du Canada par l'entremise du Fonds du livre du Canada pour nos activités d'édition.